KB107455

불가리아 출신

율리안 모데스트의 에스페란토 원작 단편소설

FERA BIRDO
철(鐵) 새

율리안 모데스트(Julian Modest) 지음

철(鐵) 새(에·한 대역)
인　쇄 : 2022년 4월 5일 초판 1쇄
발　행 : 2022년 4월 11일 초판 1쇄
지은이 : 율리안 모데스트(Julian Modest)
옮긴이 : 오태영(Mateno)
표지디자인 : 노혜지
펴낸이 : 오태영
출판사 : 진달래
신고 번호 : 제25100-2020-000085호
신고 일자 : 2020.10.29
주　소 : 서울시 구로구 부일로 985, 101호
전　화 : 02-2688-1561
팩　스 : 0504-200-1561
이메일 : 5morning@naver.com
인쇄소 : TECH D & P(마포구)

값 : 13,000원
ISBN : 979-11-91643-49-7(03890)

불가리아 출신

율리안 모데스트의 에스페란토 원작 단편소설

FERA BIRDO
철(鐵) 새

율리안 모데스트(Julian Modest) 지음

오태영 옮김

진달래 출판사

Titolo La fera birdo
Aŭtoro Julian Modest
Provlegis Yves Nevelsteen
Kovrilfoto maristeneva0
Eldonjaro 2021
Eldonejo Eldonejo Libera
ISBN 978-1-365-28637-7

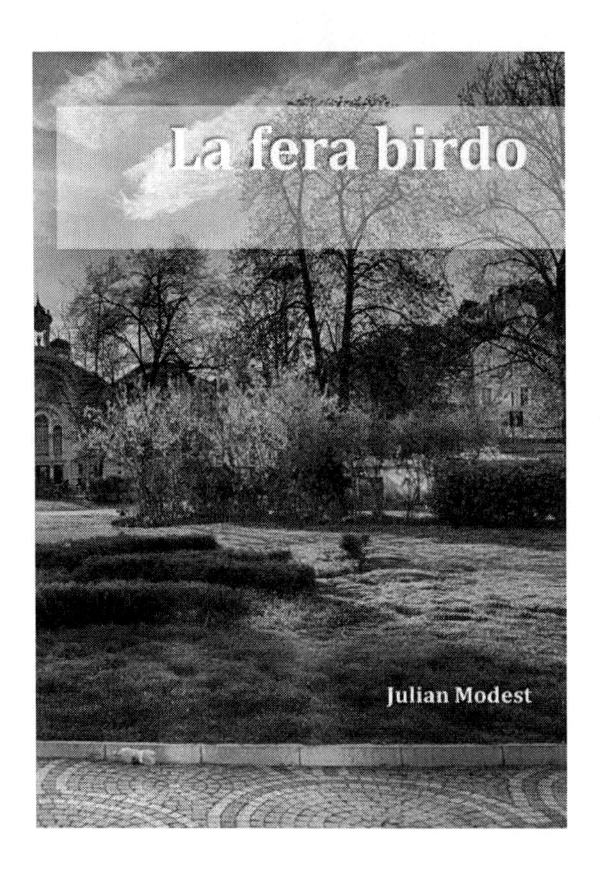

번역자의 말

율리안 모데스트의 최신 단편소설을 번역했습니다.
코로나 19 팬데믹 상황이 그려진 소설 『도움』에서는 코로나 대유행 때문에 한 주 내내 집 밖으로 나가지 못한 **라디**라는 어부가 금지를 뚫고 낚시하러 나갑니다.
바다 근처 버스 정류장에서 누워 있는 남자를 봤는데 아마 여기서 밤을 새운 것 같습니다.
젊은이는 호텔 '바다별'에서 일하려고 왔지만, 코로나 대유행 때문에 호텔이 문을 닫고, 돈은 있지만, 은행이 쉬어서 그것을 바꿀 수 없고, 식당도 마찬가지로 쉬어 힘든 상태입니다. 라디는 젊은이가 대유행 때문이 아니라 배고파서 죽겠다고 말하며 집에 가서 무언가 먹을 것을 가지고 와서 대접해 줍니다. 코로나 19에 불가피하게 생긴 에피소드를 따뜻하게 이야기하고 있습니다.
인생은 정말 알 수 없습니다. 무슨 일이 생길지 모르니 늘 있을 때 잘하고 서로 도와가며 사람답게 사는 마음이 필요합니다.
이 책을 구매하신 모든 분께 감사드립니다.
출판을 계속하는 힘은 구매자가 있기 때문입니다.
율리안 모데스트 작가의 아름다운 문체와 읽기 쉬운 단어로 인해 에스페란토 학습자에게는 아주 유용한 책이라고 생각합니다.
책을 읽고 번역하면서 다시 읽게 되고, 수정하면서 다시 읽고, 책을 출판하기 위해 다시 읽고, 여러 번 읽게 되어 저는 아주 행복합니다.

오태영 (mateno, 진달래출판사 대표)

Enhavo

목차

1. LA ENIGMA ŜIPANO

La fiŝkaptista ŝipo Balkan jam du monatojn estis sur oceano. Ni fiŝkaptadis ĉe la bordo de Gvineo. Esti maristo ne estas facile. Dum monatoj ni ne vidas bordon. Ĉirkaŭ ni vastiĝas la senlima oceano.

En la fiŝkaptistaj ŝipoj ne ĉiuj estas maristoj. La kapitanoj ofte dungas ŝipanojn, kiuj laboras en la ŝipoj pro la pli alta salajro. Iuj el ili havas ŝuldojn, aliaj monhelpas siajn infanojn, kiuj studas en universitato, triaj deziras aĉeti loĝejon.

Same en la ŝipo Balkan laboris kelkaj ŝipanoj. Dum la multmonata navigado ni ĉiuj tamen fariĝis amikoj. Kiam ni ne havis laboron, kiam ni ne devis fiŝkaptadi aŭ prilabori[1] la kaptitajn fiŝojn, ni konversaciis, rakontis unu al la alia pri nia vivo, parolis pri niaj estontaj vivoplanoj.

En la ŝipo estis viro, kiu aspektis ege stranga. Tridekses- aŭ trideksepjara, li estis alta, svelta, kun densa hararo kaj nigraj okuloj, brilaj kiel antracito. Lia nomo estis Rumen. Li laboris diligente, sed evitis konversacii kun ni.

Silentema, li ĉiam estis sola

1) prilabori <他> 처리하다, 종사하다, 상밀(詳密)히 연구하다, 경작(耕作)하다, 배식(培植)하다

수수께끼의 선원

어선 **발칸**은 벌써 두 달째 대양 위에 떠 있다.
우리는 **그비에오** 해상에서 고기를 잡는다.
항해사가 되기는 쉽지 않다.
여러 달 우리는 육지를 보지 못한다.
우리 주위는 끝없는 대양이 넓게 펼쳐져 있다.
어선에서 모두 항해사는 아니다.
선장은 더 비싼 임금 때문에 배에서 일하는 선원을 자주 고용한다.
그들 중 일부는 빚이 있어서, 다른 일부는 대학에 다니는 자녀 학비를 벌기 위해, 어떤 이는 아파트를 사기 원해서다.
발칸 배에도 마찬가지로 선원이 여럿 있다.
여러 달 항해하면서 모두 친구가 된다.
일이 없을 때, 고기를 잡거나 잡은 고기를 손질하지 않을 때, 우리는 서로 대화하고 자기 인생을 이야기하고 장래 계획을 말했다.
배에 아주 이상하게 보이는 남자가 한 명 있다.
그는 36세나 37세로 키가 크고 말랐고, 머리숱이 많고, 눈동자는 무연탄처럼 빛나고 검었다.
그의 이름은 **루멘**이다.
열심히 일하지만, 우리와 대화하는 것을 피했다.
과묵한 그는 항상 혼자 있다.

kaj neniam venis al ni, kiam ni kune manĝis en la vasta ŝipmanĝejo, kie kutime post la fino de la laboro ni sidis kaj konversaciis.

Unue ni preskaŭ ne rimarkis lin, sed poste ni komencis demandi unu la alian, kiu li estas. Boris, la ŝipmaŝinisto, supozis, ke la stranga viro estis en malliberejo, sed post la fino de la puno li ne trovis alian laboron kaj tial fariĝis ŝipano. Mi mem opiniis, ke li estas introvertito[2] kaj ne ŝatas komuniki kun aliaj homoj. Ja, ekzistas tiaj personoj. Tamen mia scivolemo[3] pri tiu ĉi stranga viro pli kaj pli kreskis. Mi deziris ekscii, de kie li estas, kie li loĝas kaj kial li decidis esti ŝipano. La aliaj maristoj kaj ŝipanoj evitis paroligi lin, sed mi deziris konversacii kun li kaj foje mi sukcesis.

La ŝipo ankriĝis ĉe la haveno de Konakro, la ĉefurbo de Gvineo, kaj tuj al la ŝipo proksimiĝis infanoj, kiuj komencis peti de ni manĝaĵon. Ni havis konservaĵojn kaj Rumen donis al la infanoj du el siaj konservaĵoj.

Tiam mi diris: -Estas triste rigardi malsatajn infanojn. Li nur flustris: -Jes.

---

2) introvert-i <他> (마음,생각을) 안으로 향하게 하다. 내성(內省) 시키다. introverto 내향. introvertito 내향성인 사람.

3) scivol-a 알려고 하는, 알고(배우고) 싶어하는, 호기심의

일이 끝나면 습관처럼 앉아 대화하는 배의 넓은 식당에서 우리가 함께 식사하고 있을 때 결코 우리에게 오지 않는다.
처음에 우리는 거의 모른 체했지만, 나중에 서로에게 그가 누구인지 묻기 시작했다.
배의 기계 수리원 **보리스**는 수상한 남자가 감옥에 있었고 형을 마친 뒤 다른 직장을 구하지 못해서 선원이 됐다고 짐작했다.
나는 그가 내성적인 사람이라 다른 사람들과 어울리기를 좋아하지 않는다고 혼자 생각했다.
정말 그런 사람이 존재한다.
하지만 이 이상한 남자에 대한 나의 호기심은 점점 커졌다.
나는 그가 어디서 왔는지 어디에 사는지 왜 선원이 되기로 했는지 알고 싶었다.
다른 항해사와 선원들은 그와 말하는 것을 피했지만, 나는 그와 대화하고 싶었는데 몇 번은 성공했다.
배가 그비네오의 수도 **코나크로** 항구에 정박할 때였다.
우리에게 먹을 것을 달라고 청하는 어린이들이 금세 배로 가까이 다가왔다.
우리는 보관하고 있는 음식들을 가지고 있는데 루멘은 한 어린이에게 두 개를 주었다.
그때 내가 말했다.
"배고픈 어린이를 보는 것은 슬프죠."
그는 조그맣게 속삭일 뿐이다.
"그렇죠."

-Ĉu vi havas edzinon, infanon? demandis mi.
Mi certis, ke li ne respondos, ke li turnos sin kaj foriros, sed li ekparolis:
-Mi havas nek edzinon, nek infanon.
-Kial vi fariĝis ŝipano? demandis mi.
Li iom hezitis, ĉu daŭrigi konversacii kun mi aŭ eksilenti, sed li komencis paroli. Eble la nudpiedaj gvineaj infanoj, en kies grandaj okuloj videblis malsato, emociis[4] lin.
-Mia fratino - diris li - edziniĝis juna, sed ŝia edzo estas ebriulo kaj vetludanto. Ili havas sesjaran filinon, sed la edzo fordrinkas kaj forludas ĉiun monon. Mia fratino devas mem lupagi la loĝejon kaj vivteni la familion. Mi decidis monhelpi ŝin. Tial mi iĝis ŝipano.
Post tiu ĉi mallonga konversacio ni plu ne parolis. Li daŭre silente laboris kaj komunikis kun neniu. La ses monatoj pasis. Ni revenis. La maristoj kaj la ŝipanoj disiĝis.
Foje mi kaj mia amiko Hristo kafumis en la kafejo "Lazuro", proksime al la mara parko. La junia tago estis suna.
La tabloj de la kafejo staris ekstere.

4) emoci-i <他> 감동케하다, 감동시키다 emocio (희· 노· 애· 락의) 정서 (情緒), 감동(感動); emocia 감동적인; senemocie 냉정하게

"아내나 자녀가 있나요?" 내가 물었다.
나는 그가 대답하지 않고 몸을 돌려 갈 거라고 믿었는데 그가 말을 꺼냈다.
"나는 아내도 자녀도 없습니다."
"왜 선원이 되었나요?" 내가 물었다.
그는 나와 계속 대화할 것인가 아니면 침묵할까 조금 망설이더니 말을 시작했다.
커다란 눈에 배고픔이 보이는 맨발의 그비네오 어린이가 아마도 그의 마음을 움직인 것 같다.
"내 여동생은 젊어 결혼했어요." 그가 말했다.
"하지만 그녀 남편은 술주정뱅이에다 도박꾼이었죠.
그들은 6살 된 딸이 있는데 남편이 모든 돈을 술 마시고 도박하는 데 다 썼어요.
내 여동생은 혼자 아파트 월세를 내고 가정을 챙겨야만 했죠.
내가 그녀에게 돈을 도와주려고 마음먹었어요.
그래서 선원이 되었죠."
이 짧은 대화 뒤에 우리는 더 말하지 않았다.
그는 계속 조용히 일했고 누구와도 함께 하지 않았다.
6개월이 지났다. 우리는 돌아왔다.
항해사와 선원들은 헤어졌다.
한번은 내가 친구 **흐리스토**와 바다 공원 근처
'라주로' 라는 카페에서 커피를 마시고 있었다.
6월의 한낮은 태양이 빛났다.
카페 탁자는 밖에 놓여 있었다.

Subite mi rimarkis, ke sur la strato, ĉe la kafejo, pasas Rumen, mia eksa kolego, la ŝipano.
Mi preskaŭ ne rekonis lin. Nun li estis ege eleganta, vestita en blua kostumo kun hela ĉemizo, ĉerizkolora kravato. Li afable salutis min kaj mi respondis al lia saluto.
-Ĉu vi konas lin? - demandis Hristo.
Mi diris, ke Rumen kaj mi servis en la fiŝkaptista ŝipo Balkan.
-Tial mi ne vidis lin duonjaron - rimarkis Hristo.
-Ĉu ankaŭ vi konas lin?
-Mi ne konas lin persone, - ekparolis Hristo - sed mi scias, ke li estis vicdirektoro de la fabriko por akumuliloj.[5)]
Tamen li estis pasia vetludanto. Li forludis ĉiun sian monon.
Lia edzino ege suferis. Ili havas sesjaran filinon. Tamen pasintjare li ie malaperis kaj dum ses monatoj ne estis ĉi tie.
Nun mi komprenas, ke li estis ŝipano. Ekde kiam li revenis, li ne plu vetludas. Nun li zorgas pri la familio kaj tute dediĉas sin al la edzino kaj al la filino.

---

5) akumul-i <他> 쌓다, 모으다, (재산등을) 축적하다, akumulilo 축전지;

거리에서 카페 옆으로 나의 전 동료 선원인 루멘이 지나가는 것을 갑자기 알아차렸다.
나는 거의 그를 알아보지 못할뻔했다.
지금 그는 아주 품위 있게 밝은 셔츠에 체리 색 넥타이, 파란 정장을 차려입고 있었다.
그는 친절하게 내게 인사했고,
나는 그 인사에 응답했다.
"그 사람을 아니?" 흐리스토가 물었다.
나는 그와 함께 어선 발칸에서 일했다고 말했다.
"그래서 반년이나 그를 보지 못 했구나!"
흐리스토가 말했다.
"너도 그 사람을 아니?"
"개인적으로는 그를 알지 못해."
흐리스토가 말을 꺼냈다.
"하지만 그가 축전지 공장의 부사장인 것은 알아.
그는 아주 심하게 도박을 했어.
그는 모든 재산을 탕진했지.
아내가 매우 고통스러워했어.
그들은 여섯 살 된 딸이 있었지.
지난해 그는 어딘가로 사라져 6개월 동안 여기 없었어.
이제야 그가 선원이었음을 알았어.
그가 돌아온 이후에는 도박하지 않아.
지금은 가족을 잘 돌보고
아내와 딸에게 아주 헌신적이야."

2. LA DONACO DE PAĈJO

Mi memoras la tagon, kiam panjo, mia frato kaj mi forveturis. Estis suna, varmeta tago, sed ĝi ŝajnis al mi nuba kaj friska. Niaj valizoj[6] staris sur la kajo kaj post minutoj la vagonaro forveturus. Paĉjo helpis nin porti la valizojn en la kupeon. Ni estis ĉe la fenestro de la kupeo kaj paĉjo – ekstere, sur la kajo.

Panjo ploris kaj provis kaŝi la larmojn. Mi kaj mia frato silentis. Subite la vagonaro ekveturis. Paĉjo staris senmova. En tiu ĉi momento mi sentis fortan doloron. Mi komprenis, ke neniam plu mi vidos paĉjon. Mi memoras, ke tiam li surhavis grizkoloran kostumon, bluan ĉemizon kaj kaskedon. Mi bone memoras lian grizkoloran kaskedon. Mi ne certas ĉu la kostumo estis grizkolora, sed pri la kaskedo mi certas. Kiaj estis la okuloj de paĉjo – ĉu bluaj aŭ brunaj? Sed ili estis bonaj, varmaj okuloj, plenaj je amo.

La vagonaro malproksimiĝis. Paĉjo mansvingis.

Kiam ni alvenis, pluvis. Tre malfacile ni trovis la loĝejon, en kiu ni devis loĝi.

---

6) valiz-o 여행용 손가방, 슛케이스《kofro는 여행상자인데 한손으로 들기 어려운 것이며 valizo 와 다름》

아빠의 선물

나는 엄마, 형과 함께 멀리 여행 간 날을 기억한다.
해가 나와 조금 따뜻한 날인데 내게는 구름 끼고 시원한 날로 보였다.
우리 여행 가방은 플랫폼에 있고 몇 분 뒤에 기차는 멀리 떠날 것이다.
아빠는 우리가 열차 객실로 여행 가방 옮기는 것을 도와주셨다.
우리는 열차 객실 안 차창에 있고
아빠는 바깥 플랫폼에 계셨다.
엄마는 울며 눈물을 감추려고 했다.
나와 형은 조용했다. 갑자기 기차가 출발했다.
아빠는 움직이지 않고 서 계셨다.
이 순간 나는 큰 고통을 느꼈다.
나는 이제 아빠를 더 보지 못하리라고 생각했다.
그때 아빠는 회색 정장에 파란 와이셔츠, 챙 달린 모자를 썼다고 기억했다.
나는 챙 달린 회색 모자를 잘 기억한다.
나는 정장이 회색인지는 확신하지 못하지만, 챙 달린 모자는 확신한다.
아빠의 눈은 어땠을까? 파란색 혹은 갈색?
하지만 눈은 착하고 따뜻하고 사랑에 가득 찼다.
기차는 멀어졌다. 아빠는 손을 흔들었다.
우리가 도착할 때는 비가 왔다.
우리가 살아야 할 집을 찾는 것이 아주 힘들었다.

La ŝoforo de la taksio estis juna kaj li ne bone konis la urborandan kvartalon. Dum iom da tempo la taksio veturis sur mallarĝaj, mallumaj stratoj kaj finfine ĝi haltis antaŭ iu domo.

Ni devis loĝi en malgranda, malvarma ĉambro, kiu vintre kaj somere estis malvarma. La ĉambro havis nur unu fenestron, antaŭ kiu kreskis alta morusarbo.

En la lernejo mi ne povis amikiĝi kun miaj samklasanoj. Mi estis silentema kaj sinĝena. Proksime al la domo, en kiu ni loĝis, estis kulturdomo. Foje, kiam mi revenis el la lernejo, mi vidis afiŝon, kiu informis, ke en la kulturdomo estas kurso pri gitarludado. Mi petis panjon, ke ŝi enskribu min por tiu ĉi kurso, sed panjo diris, ke ŝi ne havas monon por pagi la kurson. Mi ekploris.

-La venontan monaton, kiam mi ricevos salajron, mi pagos la kurson - trankviligis min panjo.

Mi komencis gitarludi. Evidente mi havis talenton kaj bone mi gitarludis. Somere, dum la granda ferio, mi laboris kaj mi aĉetis gitaron. Mi gitarludis dum amikaj renkontiĝoj kaj festenoj.

Nokte, ofte mi sonĝis pri paĉjo. Li staris sur la fervoja kajo, rigardante la forveturantan vagonaron.

택시운전사는 젊어 시 변두리 지역을 잘 몰랐다.
한참이나 시간이 걸려 택시는 좁고 어두운 거리로 들어서더니 마침내 어느 집 앞에 멈췄다.
우리는 작으면서,
겨울과 여름에 추운 방에서 살아야만 했다.
방은 창이 오로지 하나 있고, 그 창문 앞에 오디나무가 자라고 있었다.
학교에서 나는 동급생들과 친구가 될 수 없었다.
나는 과묵하고 차분했다.
우리가 사는 집 가까이에 문화의 집이 있었다.
한번은 내가 학교에서 돌아왔을 때 문화의 집에서 기타 연주 과정이 있음을 알리는 광고를 봤다.
나는 엄마에게 이 강좌에 등록시켜 달라고 부탁했으나 엄마는 수강료 낼 돈이 없다고 말했다.
나는 울기 시작했다.
"다음 달 내가 월급을 받으면 수강료를 내줄게." 라며 엄마가 나를 안정시켰다.
그후 나는 기타 연주를 배우기 시작했다.
확실히 나는 소질이 있어 기타를 잘 연주했다.
여름에 긴 휴가 때 나는 일을 해서 기타를 샀다.
나는 우정의 만남이나 축제에서 기타를 연주했다.
밤에 아빠에 관해 자주 꿈을 꾸었다.
그는 철도 플랫폼에 서서 떠나가는 기차를 쳐다보고 있었다.

Mi vidis lian grizkoloran kaskedon,[7] sed mi ne vidis liajn okulojn. Ĉu ili estas bluaj aŭ brunaj? Mi ne scias. Mi ne demandis panjon kial ni venis en la landon, kie ŝi naskiĝis kaj kial paĉjo restis en la alia lando. Ni ne ricevis leterojn de li kaj ni ne skribis al li leterojn.
Mi ne sciis kie li estas, kiel li vivas.
Kiam mi finis gimnazion, mia amiko Dan fondis ĵaztrupon kaj proponis al mi ludi en la trupo. Ja, mi ege ŝatis gitarludi. La ĵaztrupo nomiĝis "Lunatikoj". Ni koncertis en diversaj urboj. Ĉie ekzaltitaj gejunuloj aplaŭdis nin freneze.
Foje ni koncertis en ĉemara urbo. Post la fino de la koncerto nekonata viro proksimiĝis al mi.
-Pardonu min - diris li. - Mi devas doni ion al vi. Mi rigardis lin mire, preta diri ion malĝentilan, tamen la viro aspektis afabla kaj lia voĉo sonis peteme. Eble kvardekjara li estis, nigraharara kaj liaj okuloj havis orecan koloron, similan al aŭtunaj folioj. Mi iom hezitis, sed li ripetis:
-Mi devas doni ion al vi - kaj lia voĉo denove eksonis peteme.

7) kasked-o 모자(유니폼을 입은 학생이나 일반인이 쓰는 챙 달린). la hotela pordisto levis sian kaskedon 그 호텔 수위는 자신의 (챙 있는)모자를 (벗어) 들었다.

나는 그의 챙 달린 회색 모자를 보았지만,
그의 눈을 보지 못했다.
눈동자는 파란색일까 아니면 갈색일까 나는 모른다.
나는 엄마에게 왜 엄마가 태어난 이 나라에 왔는지,
왜 아빠는 다른 나라에 남아야 했는지 묻지 않았다.
우리는 아빠에게서 편지를 받지 않았고 우리도 편지를
쓰지 않았다.
그가 어디 어떻게 사는지 모른다.
내가 고등학교를 마칠 때 내 친구 단은 재즈 연주단을
만들어 내게 같이 연주하기를 부탁했다.
정말로 나는 기타 연주를 아주 좋아했다.
재즈 연주단은 **'루나티코'** 라고 이름 지었다.
우리는 여러 도시에서 음악회를 열었다.
가는 곳마다 젊은이들이 열광해서 미친 듯이 손뼉을 쳤
다. 한번은 해양도시에서 음악회가 열렸다.
음악회가 끝나고, 낯선 남자가 내게 가까이 다가왔다.
"미안하지만" 그가 말했다.
"젊은이에게 뭔가 주어야만 해요."
나는 놀라서 퉁명스럽게 대꾸하리라 생각하고 그를 쳐
다봤는데, 남자는 친절하게 보였고 목소리는 부탁하듯
들렸다.
아마 40세 정도에 머리카락은 검고, 눈은 가을 나뭇잎
같은 황금색이었다.
내가 조금 망설이니까, 그는 거듭 부탁했다.
"내가 젊은이에게 뭔가 주어야만 해요."
그리고 그의 목소리는 부탁하듯 들렸다.

-Kion?
-Ni sidu ĉi tie - kaj li montris proksiman benkon. Kio pli forte mirigis min: la viro portis gitaron. Eble li estas muzikanto, meditis mi kaj li kiel mi ŝatas muzikon.
-Bone - diris mi.
Ni eksidis sur la benko. La viro komencis gitarludi. Li ludis allogan melodion kaj mi ne scias kial, sed mi kvazaŭ vidis vagonaron, kiu malrapide ekveturas kaj sur la kajo staris viro kun kaskedo, kiu mansvingas. Kiam la nekonata viro ĉesis gitarludi, li diris:
-Tiu ĉi melodio estas donaco al vi de via patro. La lasta melodio, kiun li komponis. Via paĉjo petis min trovi vin kaj ludi al vi la melodion.
Mi apenaŭ flustris:
-Ĉu de paĉjo? -Jes.
-Ĉu li vivas?
-Ne. Li forpasis. Ni estis amikoj. Ni kune gitarludis.
Mi ne sciis, ke paĉjo estis muzikisto. La viro ekstaris.
-Mi plenumis mian promeson - diris li kaj foriris.
De tempo al tempo mi denove sonĝas pri paĉjo kaj en la sonĝo mi aŭdas lian lastan melodion, kiun li donacis al mi.

“무엇을요?”
그는 “잠깐 앉아요.” 라며 나에게 가까운 의자를 가리켰다. 더 크게 나를 놀라게 한 것은 그 남자가 기타를 가지고 온 것이다.
아마 그는 음악가이고,
나처럼 음악을 좋아한다고 생각했다.
“좋습니다.” 내가 말했다. 우리는 의자에 앉았다.
남자는 기타를 연주했다. 매력적인 곡을 연주했다.
나는 이유를 알지 못하지만 마치 천천히 출발하는 기차를 향해 챙 달린 모자를 쓴 남자가 플랫폼에서 손 흔드는 장면을 보는 듯했다.
낯선 남자는 연주를 끝내고 말했다.
“이 곡은 젊은이를 위해 아버지가 주신 선물입니다.
그가 작곡한 마지막 곡입니다.
젊은이의 아빠는 젊은이를 찾아서 이 곡을 연주해 주라고 나에게 부탁했어요.”
나는 거의 속삭였다.
“아빠가요?” “예”
“그분이 살아계시나요?”
“아니요. 돌아가셨어요. 우리는 친구였어요.
같이 기타를 연주했지요.”
나는 아빠가 음악가인 것을 몰랐다.
남자는 일어섰다.
“나는 내 약속을 지켰어요.” 그는 말하고 떠났다.
때로 나는 다시 아빠 꿈을 꾼다.
꿈속에서 나는 그가 내게 선물한 마지막 곡을 듣는다.

3. LA GRANDA ĜOJO

"Nekomprenebla estas la vivo – ofte diris Bano. – La homoj revas, planas, pripensas, decidas, sed okazas io, pri kio oni neniam meditis aŭ eĉ neniam sonĝis."

Jam de la infaneco Bano revis esti aktoro. Tio estis lia plej granda deziro. En la lernejo li ludis en diversaj teatraĵoj. Li estis unu el la nanoj en la fabelo "Neĝlino", la eta princo en la teatraĵo "La eta princo" kaj rolanto en aliaj spektakloj. Bano havis bonan voĉon kaj belege kantis.

Post la fino de la gimnazio li ekstudis en la Muzika Akademio kaj fariĝis operkantisto. Li rolis en la ĉefurba operejo. Tie estis Sonja – juna kantistino, sopranulino. Tre bela kaj tre alloga, Sonja havis bluajn okulojn kiel du grandaj safiroj kaj longan, orecan hararon, similan al matura tritiko. Bano ekamis ŝin kaj ili geedziĝis.

Ilia familia vivo komenciĝis kiel mirinda fabelo.

Naskiĝis ilia filino Nora kaj Bano estis ege feliĉa. Tamen foje lia kolego diris, ke Sonja havas amanton. Bano ne deziris kredi, sed lia kolego ĵuris, ke li ne mensogas. Tiam en la operejo oni prezentis la operon "Bohemianoj" kaj estis aŭtra orkestrestro.

커다란 기쁨

“이해할 수 없는 것이 인생이다.” 자주 **바노**가 말했다. 사람이 꿈꾸고 계획하고 생각하고 결정해도 결코 생각하거나 꿈꾸지 못한 일이 생긴다.
어릴 때부터 바노는 배우가 되기를 꿈꾸었다.
그것이 그의 가장 큰 바람이었다.
학교에서 여러 연극에 참여했다. 그는 동화 ‘백설 공주’에서 난쟁이 중 한 명이었고 연극 ‘어린 왕자’에서 어린 왕자역, 다른 공연작에서도 역할을 맡았다.
바노는 좋은 목소리를 가지고 아주 아름답게 노래했다.
고등학교를 마치고 음악 교육원에서 공부했다.
오페라 가수가 되었다.
그는 수도에 있는 오페라극단에서 일했다.
그곳에 이름이 **소냐**인 젊은 소프라노 가수가 있었다.
아주 예쁘고 정말 멋진 소냐는 두 개의 커다란 사파이어 같은 파란 눈에 잘 익은 보리 같은 황금색 긴 머리카락을 가졌다.
바노는 그녀와 사랑하게 되었고, 그들은 결혼했다.
그들의 가정생활은 시작이 놀라운 동화 같았다.
딸 **노라**가 태어났을 때 바노는 매우 행복했다.
그런데 한 번은 그의 동료가 소냐에게 애인이 있다고 말했다. 바노는 믿고 싶지 않았지만, 그의 동료는 거짓말하지 않는다고 맹세했다.
그때 오페라극장에서 **‘보헤미안’**을 공연했는데 오스트리아인 지휘자가 있었다.

Sonja ludis la ĉefrolon - Mimi. La aŭstra orkestrestro kaj Sonja ekamis unu la alian. Bano supozis, ke la ĉefa celo de Sonja estis kanti en la operejoj en Vieno, Londono, Milano kaj tial ŝi decidis elekti kun aŭstra orkestrestro.
Sonja ekveturis al Vieno. La trijara Nora restis ĉe Bano.
Komenciĝis malfacilaj tagoj. Bano zorgis pri la eta filino, zorgis pri la dommastrumado, kantis en la operejo. Neniu helpis lin. Matene li rapidis al la infanĝardeno kun Nora. Post la provludoj en la operejo li denove rapidis al la infanĝardeno por irpreni Noran. Vespere, kiam estis spektaklo, li petis iun najbarinon zorgi pri Nora. La vivo de Bano fariĝis koŝmara.
Nostalgie li rememoris la unuajn feliĉajn tagojn post la geedziĝo kun Sonja. Nun li kvazaŭ estis en abismo, el kiu li neniam elrampos.
Post jaro Sonja entreprenis divorcon, kiu rapide okazis kaj Nora elektis en Vieno ĉe ŝi. Bano restis sola kaj de tiam lia vivo fariĝis pli malfacila kaj pli nigra. Lia kariero preskaŭ fiaskis. Li ne plu ludis ĉefajn rolojn en la operoj. Oni iom post iom forgesis lin kaj liajn iamajn glorajn tagojn de operkantisto.
La jaroj pasis.

소냐는 주연 **미미** 역이었다.
오스트리아인 지휘자와 소냐는 서로 사랑에 빠졌다.
소냐의 주요 목적은 **빈, 런던, 밀라노**의 오페라극장에서 노래하는 것이라 오스트리아인 지휘자와 함께 살기로 마음먹었다고 짐작했다. 소냐는 빈으로 떠났다.
3살 된 딸 노라는 바노 곁에 남았다.
힘든 날이 시작되었다.
바노는 작은딸을 돌보고 집안일을 하고 오페라극장에서 노래했다. 아무도 그를 도와주지 않았다.
아침에 노라와 함께 유치원으로 서둘러 갔다.
오페라극장에서 예행연습을 한 뒤, 그는 다시 노라를 데리러 유치원으로 바삐 갔다.
저녁에 공연이 있을 때는 어느 이웃 여자에게 노라를 돌봐 달라고 부탁했다.
바노의 삶은 악몽과 같이 되었다.
향수에 젖었을 때는 소냐와 결혼한 뒤 행복했던 날들을 다시 기억했다.
지금 그는 그 속에서 결코 기어 나올 수 없는 구렁텅이에 빠진 듯했다.
일 년 뒤 소냐는 이혼을 착수해 빠르게 진행했고 노라는 빈에서 엄마와 살게 되었다.
바노는 홀로 남아 그때부터 그의 인생은 더 힘겹고 더 암흑같이 되었다. 그의 경력은 거의 부서졌다.
더는 오페라에서 주연 역을 맡지 못했다.
조금씩 사람들은 그를, 언젠가 화려했던 오페라 가수 시절의 날들을 잊을 것이다. 세월은 지나갔다.

De tempo al tempo Nora venis gasti ĉe li, sed post nur semajno ŝi rapidis forveturi al Vieno. Bano fariĝis pensiulo. La tagoj nun ŝajnis al li ege longaj. Kiam la vetero estis bona, li kutimis sidi sur benko en la parko antaŭ sia loĝejo. Li sidis sola dum horoj kaj meditis pri la fenomeno, nomata vivo, kiu pasas kaj malaperas kiel globetoj de disŝirita rozario. Jes, la vivo pasas kaj neniam okazas tio, kion oni planis aŭ pri kio oni revis.

Hodiaŭ posttagmeze Bano denove troviĝis en la parko, sidanta sur sia ŝatata benko. Estis varmeta, maja tago. La suno brilis kaj karesis lian vizaĝon. La ĉielo estis sennuba, la arboj en la parko floris. Subite al Bano proksimiĝis junulino, kiu ĉirkaŭbrakis lin.

-Saluton paĉjo. Mi venis. Mi decidis loĝi ĉi tie, ĉe vi. Mi estos ĉi tie kaj laboros ĉi tie.

Tiuj ĉi vortoj de Nora ĝojigis Banon. Neniam li supozis, ke li estos tiel ĝoja kaj feliĉa.

때로 노라가 그에게 와서 머물렀지만, 겨우 일주일쯤 뒤에는 서둘러 빈으로 떠났다.
바노는 연금수급자가 되었다.
하루하루가 그에게는 아주 길게 느껴졌다.
날씨가 좋을 때 그는 집 앞 공원 의자에 자주 앉아 있었다. 여러 시간 혼자 앉아 있으면 현실과 자신의 처지에 대해 깊이 생각했다.
인생은 왔다가 찢어진 염주 알처럼 사라진다.
그래, 인생은 지나가고 사람이 계획하고 꿈꾸는 그런 일은 절대 일어나지 않는다.
그날 오후 바노는 다시 공원에 나와
좋아하는 의자에 앉았다.
날씨가 따뜻해진 5월의 한낮이다.
빛나는 햇볕이 그의 얼굴을 어루만진다.
하늘은 구름 한 점 없고 공원의 나무는 꽃을 피웠다.
갑자기 바노에게 어떤 아가씨가 다가오더니
그를 껴안았다.
“안녕하세요. 아빠. 제가 왔어요.
여기서 아빠랑 살려고 마음먹었어요.
저는 여기 있으며 여기서 일할 거예요.”
노라의 이 말 때문에 바노는 기뻤다.
그가 그렇게 기쁘고 행복하게 되리라고 그는 결코 짐작하지 못했다.

4. LA INUNDO

Andrej kaj Katja venis en la vilaon je la kvina posttagmeze. La junia suno ankoraŭ forte brilis kaj la rivero malrapide kaj enue lulis sin kiel maljunulino, laca kaj elĉerpita de somera varmo. Andrej parkis la aŭton ĉe la vojo, prenis la sakojn, kaj kun Katja trapasis la riveron tra la ligna ponteto.
La vilao estis sur negranda insulo, meze de la rivero kaj Andrej tre fieris kun tiu ĉi pitoreska loko, kiu restis de lia patro. La patro konstruis ĉi tie la vilaon kaj en la korto li plantis fragojn, frambojn, pomajn kaj pirajn arbojn.
Antaŭ jaroj Andrej kaj Katja ofte venis ĉi tien, sed dum la lastaj monatoj ili preskaŭ forgesis la vilaon. La laboro kaj oficaj problemoj dronigis kaj sufokis Andrej. Jam de duon jaro li kvazaŭ rampis sur la fundo de kota marĉo, el kiu li ne povis elnaĝi. Andrej estis esplorjuĝisto kaj okaze de iu juĝproceso li kontraŭstaris al sia ĉefo. De tiam trankvilan tagon Andrej ne havis. La ĉefo komencis amasigi al li juĝprocesojn, esperante kaŝe, ke Andrej ne sukcesos solvi ilin kaj forlasos la oficon. Andrej tamen decidis ne rezigni.

홍수

안드레이와 **카탸**는 오후 5시에 빌라에 들어왔다.
6월의 해는 아직 뜨겁게 빛나고, 강은 천천히 지루하게 여름 더위에 지쳐 피곤한 할머니처럼 흔들렸다.
안드레이는 차를 길가에 세운 뒤, 가방을 들고 카탸와 함께 나무로 만든 작은 다리를 밟아 강을 건넜다.
빌라는 강 가운데 작은 섬에 있다.
안드레이는 아버지가 남겨준 이 아름다운 장소를 자랑스러워한다.
아버지는 이곳에 빌라를 짓고 마당에 딸기, 나무딸기, 사과, 배를 심었다.
수년 전 안드레이와 카탸는 자주 여기에 왔지만, 지난 몇 달 동안 거의 빌라를 잊었다.
안드레이는 일과 사무실 문제로 숨이 막혔다.
이미 반년 전부터 흙이 있는 늪 바닥에서 기는 듯해서 여기서 빠져나올 수 없었다.
안드레이는 조사 재판관인데 어느 재판 절차에서 상관에게 반대 견해를 냈다.
그때부터 안드레이는 평안히 지낼 수 없었다.
상관은 안드레이가 그것들을 푸는 데 성공하지 못하고 일을 그만두기를 바라며 재판 절차를 안드레이에게 몰아주었다.
그러나 안드레이는 그만두지 않을 결심이었다.

Frumatene li iris en la laborejon kaj eliris vespere la lasta. Li ŝatis sian laboron kaj ne deziris abdiki. Foje-foje laca kaj streĉita Andrej demandis sin ĉu estas senco? Eble li devis eviti la intervjuon, kiun petis de li ĵurnalistino, sed tiam Andrej estis konvinkita, ke respondante al la demandoj, li helpos por la justa solvo de unu el la plej grandaj kaj skandalaj[8] juĝprocesoj. Tamen ĝuste tiu ĉi intervjuo kolerigis Vaklinov, la ĉefon, kaj de tiam li kaj Andrej ne povis rigardi unu la alian. La malagrablaĵoj de la laborejo transiris al la familio kaj kiel serpentoj, varmigitaj de la printempa suno, ili elrampis el sub la ŝtonoj kaj venenis lian familian vivon.

Al Katja ne plaĉis, ke Andrej kontraŭstaris al sia ĉefo. Ŝi miris kaj ne komprenis kial li konsentis esti intervjuita pri konfidencaj oficaj problemoj.

— Kion vi gajnis de tio? - grumblis Katja. - Anstataŭ zorgi pri via trankvilo, vi sidis sur erinacon. Nun viaj kolegoj laboros nenion. Vi plenumos ilian laboron kaj poste vi estos kulpa.

Andrej ne respondis. Li silentis. Almenaŭ Katja devis kompreni lin, tamen li bone sciis, ke neniu povas helpi lin. Andrej iĝis silentema kaj animpremita.

---

8) skandal-o　치욕, 면목없는 것, 불명예; 추행(醜行), 추문(醜聞)

이른 아침 사무실에 가서 저녁에 가장 늦게 퇴근했다.
일을 좋아해서 그만두고 싶지 않았다.
어쩌다 피곤하고 긴장되면 안드레이는 스스로 의미가 있는지 질문한다.
아마도 여기자가 요청한 인터뷰를 피해야만 한다.
그러나 질문에 답하면서 가장 크고 좋지 않은 소문 있는 재판 절차에 하나의 바른 해결책을 위하여 도움이 된다고 확신했다.
하지만 바로 이 인터뷰가 상관인 **바크리노브**를 화나게 해서 그 뒤부터는 서로 쳐다볼 수도 없었다.
사무실의 스트레스가 가정에도 전이됐다.
따뜻한 봄 햇볕 때문에 돌 밑에서 기어 나온 뱀처럼 가정생활에 해를 끼쳤다.
카탸는 안드레이가 상관과 대립하여 싸우는 것이 마음에 들지 않았다.
아내는 남편이 왜 사무실의 비밀 문제에 관해 인터뷰했는지 놀랐고 이해하지 못했다.
"그것으로 무엇을 얻나요?" 카탸가 불평했다.
"편안하게 지내는 대신 고슴도치 위에 올라앉았어요. 지금 당신의 동료는 아무 일도 안 해요. 당신이 그들의 일도 해야 하고 나중에는 잘못되겠지요."
안드레이는 대답하지 않았다. 그저 조용히 했다.
적어도 아내는 자기를 이해해야 한다고 생각했다.
그러나 누구도 자기를 도와줄 수 없다는 것을 안드레이는 잘 알고 있다.
안드레이는 말수가 줄고 마음이 짓눌렸다.

La bluaj okuloj de Katja rigardis lin de ege malproksime kaj similis al glaciaj lagoj. Kiam Andrej kaj Katja estis kune, Andrej evitis paroli kun ŝi, ĉar li bone sciis, kion ŝi diros.
Katja denove ripetos, ke li ne devas opinii sin ĉiopova, ke li ne solvos la problemojn de la mondo, ke li devas pensi pri si mem kaj sia familio, ĉar li ne vivas sola, li havas infanojn kaj taskojn.
La atmosfero en la oficejo kaj hejme tiel lacigis Andrej, kvazaŭ nevidebla hirudo[9] soife suĉis liajn fortojn. Andrej devis ripozi, haltigi tiun ĉi frenezan radon, kiu kruele turnis lin.
Vendrede estis varma kaj suna tago, kaj Andrej proponis al Katja, ke ili iru en la vilaon. Surprize ŝi konsentis kaj tuj, post la fino de la labortago, ili ekveturis. Kiam Andrej kaj Katja trapasis la riveron kaj ekpaŝis sur la insulo, Andrej kvazaŭ malfermis nevideblan pordon kaj eniris alian nekonatan mondon. Ĉi tie ĉio estis neordinara, la verdeco, la silento, la trankvila susuro de la rivero, la montara aero, kiu onde plenigis lian bruston kaj tuj forpelis la kapdoloron kaj liajn malhelajn pensojn, kiuj kiel vespoj rondflugis en lia kapo.

---

9) hirud-o <蟲> 거머리.

자기를 아주 멀리서 바라보는 아내의 파란 눈은 차디찬 얼음 호수를 닮았다.
안드레이는 카탸와 같이 있을 때 말하는 것을 피했다. 아내가 무슨 말을 할지 알기 때문이다.
아내는 다시 되풀이할 것이다.
남편이 모든 것을 할 수 있다고 생각해서는 안 된다고, 세상 문제를 풀 수 없을 것이라고, 자신과 가족을 생각해야 한다고…. 왜냐하면, 남편은 혼자 살지 않고 자녀와 일이 있기 때문이다.
사무실과 가정의 분위기는 안드레이를 피곤하게 해서 마치 보이지 않는 거머리가 목마른 듯 자기 힘을 빨아들이는 것 같았다.
안드레이는 자기를 잔인하게 돌리는 미친 바퀴를 멈추고 쉬어야 했다.
금요일은 따뜻하고 햇볕이 있는 날이다.
안드레이는 아내에게 빌라에 가자고 제안했다.
놀랍게 아내가 동의해서 안드레이는 일을 끝내고 나서 바로 출발했다.
안드레이와 카탸가 강을 건너 섬 위로 올라갈 때, 안드레이는 마치 보이지 않는 문을 열고 다른 미지의 세계로 들어간 것 같았다.
여기에서는 모든 것이 달랐다.
푸르름, 조용함, 잔잔히 흐르는 강물 소리, 산 공기가 파도처럼 가슴을 가득 채우고 두통과 말벌처럼 머릿속으로 날아드는 어두운 생각을 쫓아 보냈다.

Andrej malŝlosis la malnovan kverkan pordon, eniris la vilaon kaj tuj frapis lin la malfreŝa, mucida odoro.

Rapide li malfermis la fenestrojn. La rivera frisko eniris la ĉambron kiel petola bubo, kiu kurante enrigardis en ĉiujn angulojn kaj tuj ekestis lumo kaj freŝeco.

Dum Andrej estis en la vilao kaj kontrolis ĉu ĉio estas tiel, kiel antaŭ jaro, Katja preparis la vespermanĝon. Ŝi lavis tomatojn, kukumojn, faris salaton kaj metis la botelon de brando en la puton por malvarmiĝi. Andrej kaj Katja metis la tablon kaj seĝojn eksteren, sur la teraso. Andrej plenigis la glasetojn per brando.

— Je via sano - diris li.

La tinto de la glasoj aŭdiĝis en la silenta antaŭvespero. Katja sidis surhavanta dikan, hejmtrikitan puloveron. Ĉi tie, en la intermonto, ĉe la rivero, la vesperoj estis humidaj kaj malvarmaj. Rigardanta al la arbaro, Katja similis al eta birdo, kies kapo nur videblis de la flava plumaro. Ankaŭ nun ili ne konversaciis, kvazaŭ ambaŭ delonge diris ĉion unu al alia kaj jam ne estis pri kio paroli, aŭ eble ili ne deziris per la voĉoj rompi la profundan montaran silenton.

안드레이는 오래된 떡갈나무 문을 열고 빌라 안으로 들어가 오래된 곰팡내를 맡았다.
재빨리 창을 열었다.
시원한 강 바람이, 온 구석마다 쳐다보면서 달리는 장난꾸러기처럼 방으로 들어와 빛과 신선함이 생겼다.
안드레이가 빌라의 모든 것이 몇 년 전과 같이 잘 보관되어 있는지 점검하는 동안, 카탸는 저녁 식사를 준비했다.
토마토와 오이를 씻어 샐러드를 만들고, 시원해지도록 우물에 브랜디 병을 두었다.
안드레이와 카탸는 탁자와 의자를 바깥 테라스에 차렸다.
안드레이가 브랜디로 작은 잔을 가득 채웠다.
"당신의 건강을 위하여." 남편이 말했다.
잔 부딪치는 소리가 저녁이 되기 전 조용한 가운데 들렸다.
카탸는 집에서 짠 두꺼운 스웨터를 입고 앉았다.
여기는 산 속인데다 강 옆이라 저녁에 습기가 끼고 추웠다.
숲을 쳐다보고 있는 카탸는 노란 깃털 속에 파묻혀 머리만 내민 작은 새 같았다.
마치 둘이 오래전에 서로 모든 것을 말해 말할 거리가 없는지, 아니면 깊은 산속의 고요를 깨고 싶지 않은지 아무런 대화를 하지 않았다.

Andrej observis la verdajn montetojn, kiuj nun iom post iom malaperis en la krepusko, kvazaŭ sur ilin lante falis mola violkolora kurteno. Supre palpebrumis la steloj, similaj al scivolemaj infanaj okuloj. La arbaro kvazaŭ flustris kaj rakontis longan senfinan fabelon.

Kaj nun, en la silenta somera nokto, Andrej eksentis la spiron de la arbaro, simila al virino, kiu dormas profunde kaj trnkvile.

Andrej kaj Katja longe sidis sur la teraso.

Super iliaj kapoj kiel flava okulo lumis la lanterno. Ĉi tie ne estis kurento kaj nur la lanterno ĵetis malfortan citronkoloran lumon. Kiam iĝis tre mallume kaj malvarme Katja kaj Andrej eniris la vilaon. Ili jam ne kutimis dormi kune. Andrej enlitiĝis en la unua ĉambro kaj Katja en alia.

Post la noktomezo Andrej vekiĝis. Ekstere pluvis – forte kaj torente. Ekis tondroj. Fulmoj kiel drakaj langoj disŝiris la firmamenton. Andrej restis senmova en la lito. De kie venis tiu ĉi pluvo, ja estis varma kaj agrabla tago – meditis li. La pluvo vipis la fenestrojn, la vento ekstere skuis kaj fleksis la arbojn kaj kvazaŭ proksime plorĝemis virino. Ĝis mateno Andrej ne ekdormis.

안드레이는 마치 부드러운 보라색 장막이 천천히 떨어지는 것처럼 조금씩 석양에 사라지고 있는 푸른 언덕을 지켜보았다.
하늘에서는 호기심 많은 어린아이의 눈을 닮은 별들이 깜박거렸다.
숲은 길고 끝없는 동화를 속삭이며 이야기하는 듯했다.
그리고 조용한 여름밤에 깊고 편안하게 잠자는 여인을 닮은 숲의 숨소리가 느껴졌다.
안드레이와 카탸는 오랫동안 테라스에 앉아 있다.
그들 머리 위에는 노란 눈알처럼 가로등이 켜져 있다.
여기에는 전기가 없어 가로등에서만 희미한 회색 불빛을 낸다. 아주 어둡고 추워지자 안드레이는 빌라 안으로 들어갔다.
그들은 함께 자지 않은 지 오래됐다.
안드레이는 첫째 방에 들어가서 눕고, 카탸는 다른 방 침대에 누웠다. 한밤중 지나 안드레이가 깼다.
밖에는 비가 오고 있었다.
세차고 급박한 천둥소리도 났다.
용의 혀같은 번개가 하늘을 찢었다.
안드레이는 침대에서 움직이지 않았다.
'어디에서 이런 비가 올까? 정말 따뜻하고 화창한 날이었는데.' 안드레이는 깊이 생각에 잠겼다.
비는 창을 때리고 바람은 나무를 흔들고 휘게 해서 마치 가까운 곳에서 여자가 신음하며 우는 듯했다.
안드레이는 아침까지 잠들지 못했다.

Li aŭ dormetis, aŭ subite vekiĝis de la torenta pluva tamburo. Kiam mateniĝis, Andrej saltis de la lito kaj ekstaris ĉe la fenestro. Tion, kion li vidis ekstere, timis li. La rivero elbordiĝis kaj inundis la korton de la vilao. Andrej vestis sin kaj rapide eliris eksteren. Maltrankvile li ĉirkaŭrigardis. Nur je kvindek metroj de la domo la rivero fluis kiel furio, torenta, malhela ĝi trenis branĉojn kaj arbojn. Tion Andrej neniam vidis.
Li eĉ ne supozis, ke tiu ĉi kvieta pigra rivero povas esti tiel terura. Dum li staris sur la teraso de la vilao, la rivero antaŭ liaj okuloj kiel malkluzita akvobarilo forportis la lignan ponton kiel pajlero. Andrej mordis lipojn.
De la alia flanko, ĉe la vojo, estis lia aŭto, sed la rivero jam portis ankaŭ ĝin kaj la aŭto eknaĝis kiel boato malproksimen. Andrej ne kredis al siaj okuloj. La pluvo malsekigis lin, kvazaŭ li staris sub la duŝo.[10] Li rigardis kiel stuporigita kaj ne sciis kion fari. La rivero inundis la korton kaj ĉio antaŭ liaj okuloj malaperis. La korto jam similis al lago, pli ĝuste al maro, kies bordo nevideblas. Andrej ne eksentis, kiam el la domo eliris Katja kaj staris apud li. Ŝi rigardis la inundon per larĝe malfermitaj okuloj.

---

10) duŝ-o 샤워, 관수욕(灌水浴) duŝi <他> 샤워 시키다, 관수욕 시키다

언뜻 잠들었다가도 갑자기 다급한 북 치는 것 같은 빗소리에 깨어났다.
아침에 안드레이는 침대에서 일어나 창가에 섰다.
안드레이가 본 밖은 너무 무서웠다. 강은 경계를 넘어 빌라 마당까지 범람했다. 안드레이는 옷을 입고 재빨리 밖으로 나갔다. 걱정스럽게 주변을 살폈다. 집에서 50 m 떨어진 곳에서, 강물은 복수의 여신처럼 급하게 나무와 가지들을 끌고 흘렀다. 그런 광경을 안드레이는 전에 한번도 본 적이 없다.
이 조용하고 한산하던 강이 그렇게 무서워지리라고 짐작조차 하지 못했다. 빌라 테라스에 서 있는 동안 안드레이 눈앞에서 무너진 방죽처럼 강물이 흐르면서 나무다리를 밀짚처럼 멀리 끌고 갔다. 안드레이는 입술을 깨물었다.
길가 다른 쪽에 안드레이의 차가 주차해 있었는데, 강이 벌써 그것도 옮겨서 차는 멀리서 배처럼 떠다니고 있다. 안드레이는 자기 눈을 믿을 수 없다.
샤워기 아래 서 있는 것처럼 온통 비에 젖었다.
혼수상태에 빠진 것처럼 멍하니 쳐다보면서 무엇을 해야 할지 알지 못했다.
강물은 마당에도 차고 넘쳐 눈앞의 모든 것이 사라졌다. 마당은 이미 호수 같았는데, 더 정확히 말하면 경계가 보이지 않는 바다 같았다.
안드레이는 카탸가 언제 집에서 나와 자기 옆에 서 있는지 깨닫지 못했다.
아내는 눈을 크게 뜨고 홍수를 바라보았다.

Neniam Andrej vidis tian teruron en ŝia rigardo. Nun Katja certe diros, ke li estas kulpa, li venigis ŝin ĉi tien kaj se ili ne estis alvenintaj en la vilaon, ili ne travivos tiun ĉi koŝmaron, sed ŝi rigardis la inundon kaj sonon ne prononcis, kvazaŭ ŝi estis perdinta kaj menson, kaj parolkapablon.

Andrej ne sciis kiom da minutoj ili staris sub la pluvo. Ili eniris enen kaj komencis kontroli kiom da nutraĵo kaj akvo ili havas.

Evidente tiu ĉi inkubo[11] ne finiĝos rapide kaj la inundo riglos ilin ĉi tie, verŝajne dum longa tempo.

La rivero iĝis pli terura kaj pli terura. La domo staris en la korto kiel soleca insulo. La nutraĵo kaj la akvo eble sufiĉos por du tagoj.

Andrej kaj Katja ne alportis plu, sed nun ili devis tre ŝpareme manĝi kaj trinki, ĉar ili ne sciis kiom da tagoj restos ĉi tie, en tiu ĉi kaptilo. Al neniu ili povis telefoni kaj ĉu iu povus helpi ilin? La gefiloj sciis, ke ili estas ĉi tie kaj certe provos helpi ilin, sed kiam? Eble ankaŭ en Sofio la pluvo torentis kiel ĉi tie.

Posttagmeze la akvo inundis la ĉambrojn. Andrej kaj Katja sidiĝis sur la granda manĝotablo.

---

11) inkub-o 악몽(惡夢) , 흉몽(凶夢) ,가위.

안드레이는 아내의 눈에서 극심한 공포를 보았다.
이제 카탸는 분명히 말할 것이다.
남편에게 잘못이 있다고, 왜 여기로 자기를 데려왔냐고, 그들이 이 빌라에 오지 않았다면 이런 악몽을 경험하지 않았을 텐데 하고 말이다.
그러나 아내는 홍수를 바라보면서 마치 정신을 잃어 말하는 능력을 잊어버린 것처럼 아무 소리도 내지 못했다.
안드레이는 얼마 동안이나 빗속에 서 있었는지 모른다.
그들은 안으로 들어가 가지고 있는 양식과 물을 챙겼다.
분명 이 악몽은 빨리 끝나지 않을 것이며, 이 홍수는 그들을 여기에 정말 오랜 시간을 묶어둘 것이다.
강은 점점 험악해졌다.
건물은 마당에 외로운 섬처럼 서 있다.
양식과 물은 아마 이틀을 버틸 정도였다.
안드레이와 카탸는 더 가져오지 않았다.
그래서 매우 아끼면서 먹고 마셨다. 며칠 동안이나 이곳에 갇힌 채로 머무는지 알지 못하기 때문이다
누구에게도 전화할 수 없고 전화를 해도 누가 도울 수 있을까?
아이들은 그들이 여기 있는 것을 알기에 분명 도우려고 할 것이다. 그러나 언제?
아마 소피아에도 비가 이곳처럼 세게 내릴 것이다.
오후에 물은 방까지 범람했다.
안드레이와 카탸는 커다란 식탁 위에 앉았다,

Ĝi estis la plej alta kaj sola seka loko en la ĉambro. Ni sidas sur la manĝotablo – meditis Andrej – sur la tablo, ĉe kiu ni manĝas kaj ĝi estas unusola, kiu ligas nin.

Vesperiĝis kaj la mallumo iom post iom kovris ilin kiel peza, malseka tolo. Katja ekparolis:

— Andrej. Li ne certis ĉu li aŭdis sian nomon, sed li respondis: — Jes.

Ekstere la rivero muĝis[12] kiel sangavida besto, kiu tuj saltos kaj disŝiros sian predon.

— Mi deziras diri ion al vi – flustris Katja.

— Kion?

Ŝi proksimiĝis al li kaj Andrej eksentis, ke ŝi tremas kiel malvarmumita hirundo.

- Andrej – ripetis Katja. – Ne koleru al mi. Mi kredas vin. Mi ĉiam kredis vin.

Li ne komprenis bone kion ŝi deziras diri.

— Post via intervjuo en la ĵurnalo, oni komencis telefoni al mi, ke vi havas amatinon kaj vi pasigas multe da tempo kun ŝi. Kompreneble mi ne kredis, sed nun mi deziras diri al vi, ke mi kredas vin, ĉiam mi kredis vin.

Ŝi eksilentis kaj enspiris profunde. Andrej etendis manon kaj en la mallumo li tuŝis ŝian etan malvarman manplaton.

---

12) muĝ-i <自>(사람 · 사자등이) 포효(咆哮)하다, 외치다, 고함치다

그것이 방에서 가장 높고 젖지 않은 유일한 곳이었다.
'우리는 식탁 위에 앉아 있다.' 안드레이는 묵상했다. '탁자 위에, 우리가 밥을 먹었던 그곳이 우리를 지켜줄 유일한 곳이다.'
저녁이 되고, 어둠이 무겁고 젖은 옷감처럼 조금씩 그들을 덮었다.
카탸가 말을 꺼냈다. "여보!"
안드레이는 자기를 불렀는지 확신하지 못하지만 대답했다. "응"
밖에서 강물은 피에 굶주려 먹이에 곧 달려가 물어뜯을 것 같은 짐승처럼 울부짖었다.
"당신에게 뭔가 말하고 싶어요." 카탸가 속삭였다.
"무엇을?" 아내가 가까이 다가왔다.
안드레이는 아내가 추위에 떠는 제비처럼 떨고 있음을 느꼈다.
"여보!" 카탸는 되풀이했다.
"내게 화내지 마세요. 나는 당신을 믿고 있었어요. 나는 항상 당신을 믿었어요." 안드레이는 아내가 무엇을 말하려고 하는지 잘 알지 못했다.
"잡지에서 인터뷰한 뒤 사람들이 내게 당신에게 애인이 있고 많은 시간을 함께 보낸다고 전화했어요. 물론 나는 믿지 않았죠. 그러나 지금 나는 당신을 믿었고 항상 당신을 믿었다는 것을 말하고 싶어요."
아내는 조용해지더니 깊이 숨을 들이마셨다.
안드레이는 손을 뻗어 어둠 속에서 아내의 작고 차가운 손바닥을 어루만졌다.

5. LARMOJ DE ĜOJO

La arbaro silentis. De tempo al tempo subite ekkantis birdo ĝoje kaj rave. Inter la arbokronoj enŝteliĝis sunradioj, kiuj orumis la foliojn kaj ili brilis kiel ormoneroj. La vento lulis la arbustojn, malantaŭ kiuj kvazaŭ scivoleme gvatus iu.
Emil malrapide paŝis, ĝuante la silenton, la freŝan aeron, la profundan sennuban ĉielon. Li ŝatis la arbaron kaj ofte promenadis en ĝi. Nun li ekiris al la vilaĝo Svila, kiu kaŝis sin en la montosino. Delonge Emil ne estis tie. Malmultaj homoj loĝas en la montaraj vilaĝoj. Nerimarkeble la vilaĝoj senhomiĝas kaj iom post iom ili malaperas. Antaŭ jaroj tie estis belaj domoj, multaj vilaĝanoj, junaj kaj maljunaj, kaj infanoj, kies gajaj krioj sonis el la lernejaj kortoj.
Emil iris el la arbaro kaj sur pado, kiun li delonge bone konis, paŝis al la vilaĝo. De sur ne alta monteto li vidis la domojn, similajn al blanka ŝafaro. Emil ekiris sur eta strato, kiu gvidis al la vilaĝa placo, sed subite li haltis. Unu el la domoj estis renovigita. Ruĝaj tegoloj kovris la tegmenton. La flavkoloraj muroj kvazaŭ brilis; la balkono, kiu iam minace pendis, nun estis remuntita kaj farbita.

기쁨의 눈물

숲은 적막했다. 때로 갑자기 새들이 즐겁고 황홀하게 지저귄다. 나무의 왕관 같은 가지들 사이로 나뭇잎을 황금으로 물들이는 햇빛이 도둑처럼 스며들어 황금 동전 같이 반짝였다.
바람은 수풀을 살랑살랑 흔들고 그 뒤에서 누군가가 호기심을 가지고 슬그머니 쳐다보는 듯했다.
에밀은 고요함, 신선한 공기, 구름 한 점 없이 높은 하늘을 즐기면서 천천히 걸었다. 그는 숲을 좋아해 자주 거기서 산책했다. 지금 그는 산속에 숨어 있는 **스빌라**라는 마을로 가고 있다.
오래전부터 에밀은 그곳을 떠나 있었다.
아주 적은 사람들이 산골 마을에 살고 있다.
어느 사이에 마을은 사람들이 없어지고 조금씩 그들은 떠나갔다.
몇 년 전에는 거기에 멋진 집, 많은 주민, 젊은이와 늙은이. 학교 운동장에서 즐겁게 노는 아이들이 있었다.
에밀은 숲을 벗어나 오래전부터 잘 알고 있는 오솔길을 걸어 마을로 들어갔다.
그리 높지 않은 언덕에서 그는 하얀 양 떼 같은 집들을 보았다. 에밀은 마을 광장으로 향하는 작은 길로 접어들다가 갑자기 멈춰 섰다. 집 가운데 하나가 깨끗하게 수리되어 있었다. 빨간 기와가 지붕을 덮고 있다.
노란색 벽이 빛나는 것 같다. 언젠가 위협적으로 돌출한 난간은 지금 새로 설치되고 색칠도 되어있다.

Surprizita, Emil rigardis al la korto, kie staris skulptaĵoj, argilpotoj kaj amforoj. En tiu ĉi malproksima, eta vilaĝo tio aspektis ege strange. Sendube iu aĉetis la iaman malnovan domon, renovigis ĝin kaj starigis en la korto belegajn skulptaĵojn. Kiu loĝas nun ĉi tie? - demandis sin Emil. Li proksimiĝis al la kortbarilo por pli bone vidi la skulptaĵojn. Al li paŝis viro, verŝajne la posedanto de la domo.

-Bonan tagon - salutis li Emil.

La viro estis eble sepdekjara, alta, magra, kun blanka kiel neĝo hararo, blanka barbo kaj kun okuloj bluaj kiel la ĉielo.

-Ĉu vi loĝas ĉi tie? - demandis Emil.

-Jes. Antaŭ duonjaro mi aĉetis tiun ĉi domon kaj renovigis ĝin.

-Kaj en la korto vi faris belegan ekspozicion - rimarkis Emil.

-Bonvolu eniri trarigardi ĝin - proponis la viro.

-Dankon.

Emil eniris la vastan korton.

-Ĉu vi estas skulptisto? - demandis li.

-Jes. Mi loĝis en la ĉefurbo, sed mi decidis transloĝiĝi al tiu ĉi silenta kaj kvieta vilaĝo. Do, bonan venon - ekridetis la skulptisto. - Mi invitas vin trinki glason da vino.

놀라서 에밀은 조각, 도자기, 항아리가 있는 마당을 쳐다보았다.
이렇게 멀고 작은 마을에 그것은 아주 이상하게 보였다.
의심할 것 없이 누군가가 언젠가 오래된 집을 사서 새로 수리하고 마당에 아주 멋진 조각품들을 세운 것이다.
'지금 여기에 누가 살까?' 에밀은 궁금했다.
그는 조각품들을 더 자세히 살펴보려고 마당 차단기로 가까이 갔다.
정말 집 주인 같아 보이는 어떤 남자가 그에게 걸어왔다.
"안녕하세요." 그가 에밀에게 인사했다.
노인은 아마 70세쯤으로 키가 크고 마르고 눈처럼 하얀 머릿결, 하얀 수염, 하늘처럼 파란 눈을 가졌다.
"여기 사십니까?" 에밀이 물었다.
"예, 반년 전에 이 집을 사서 수리했어요."
"그리고 마당에 아주 멋진 미술관을 만드셨네요." 에밀이 알아보았다.
"둘러보시려면 안으로 들어오세요." 남자가 제안했다.
"감사합니다." 에밀은 넓은 마당으로 들어갔다.
"조각가이십니까?" 에밀이 물었다.
"그래요, 나는 수도에 살고 있었는데 이 조용하고 평온한 마을로 이사하려고 마음먹었죠.
자, 안으로 들어와요."
조각가가 살짝 웃었다.
"포도주 한 잔 대접하려고 초대할게요."

-Dankon.
-Mia nomo estas Vasil Ginev - diris li.
-Emil Milev.
Ambaŭ eksidis en la korto ĉe ligna tablo sub la vinberlaŭbo. La skulptisto alportis kruĉon da vino, glasojn, teleron da fromaĝo. Li plenigis la glasojn, levis sian glason kaj diris:
-Je via sano. Mi ĝojas konatiĝi kun vi. Malmutaj homoj venas ĉi tien, en Svila.
-Je via sano. Kiel vi fariĝis skulptisto? - demandis Emil.
-Mi tute ne supozis, ke iam mi estos skulptisto - komencis rakonti Vasil. - Mi naskiĝis en eta urbo. Miaj gepatroj estis ordinaraj homoj, paĉjo - laboristo, panjo - poŝtistino. Mi havas pli aĝan fraton. Dum la infaneco mi estis ege petolema, malobeema, malbone mi lernis kaj ofte mi forestis el la lernejo. Mia frato tamen estis bona knabo. Li belege kantis. Foje estis koncerto en la lernejo. Paĉjo, panjo kaj mi iris al la koncerto. La salono plenplenis. Kiam mia frato ekstaris sur la scenejo kaj ekkantis, estiĝis profunda silento.
Mirinde li kantis. Li finis la kantadon kaj eksplodis aplaŭdoj.
La publiko estis ravita. En la okuloj de panjo mi vidis larmojn de ĝojo, fiero kaj feliĉo.

"감사합니다."
"내 이름은 **바실 기네브**예요." 그가 말했다.
"저는 **에밀 밀레브**입니다."
두 사람은 마당에 있는 포도나무 정자 아래 나무 탁자에 앉았다. 조각가는 포도주 주전자, 잔, 치즈가 든 접시를 가지고 왔다.
그는 잔을 가득 채우고 잔을 들고 말했다.
"건강을 위하여, 알게 되어 기뻐요.
아주 적은 사람이 이곳 스빌라에 찾아와요."
"건강을 위하여, 어떻게 조각가가 되셨나요?" 에밀이 물었다.
"언젠가 내가 조각가가 되리라고 전혀 짐작도 못 했지요." 바실이 이야기를 시작했다.
"나는 작은 마을에 태어났어요. 부모님은 평범한 사람들로 아빠는 노동자, 엄마는 집배원이셨죠. 나는 형이 하나 있었어요. 어릴 때 나는 아주 장난꾸러기였고 말도 잘 안 들었으며 공부도 잘하지 못해 자주 학교에도 빠지곤 했죠. 하지만 내 형은 아주 좋은 어린이였어요. 노래도 아주 잘 했지요. 한번은 학교에서 음악회가 있었어요. 아빠, 엄마, 그리고 나는 음악회에 갔어요.
음악회 홀은 가득 찼죠.
내 형이 무대 위에 서서 노래할 때 모두 깊은 침묵에 젖었어요. 형은 놀랍게 노래했죠.
노래가 끝나자 박수가 터져 나왔어요.
관중들은 열광했죠. 엄마의 눈에서 흐르는 기쁨, 자랑스러움, 행복의 눈물을 나는 봤어요.

En tiu ĉi momento mi ekdeziris fari ion, kio igos panjon ekplori pro ĝojo. Mi deziris ĝojigi panjon tiel, kiel mia frato ĝojigis ŝin.

En la lernejo allogis[13] min la pentrado kaj mi komencis diligente pentri. La instruisto stimulis min.

Mi finis Belartan Akademion, sed antaŭ mia unua ekspozicio, panjo forpasis.[14] Mi ne vidis la ĝojon en ŝiaj okuloj.

Tamen mi decidis: ĉion, kion mi kreos, mi dediĉos al panjo.

Poste plurfoje mi vidis la ĝojon de la homoj, kiuj rigardas miajn skulptaĵojn kaj hodiaŭ mi vidis la saman ĝojon en viaj okuloj.

La skulptisto eksilentis. Liaj helbluaj okuloj rigardis la verdajn montetojn. La tago estis suna. Sur la fono de la montaro staris la belaj skulptaĵoj.

---

13) log-i <他> 유혹[유인]하다, 꼬이다, 매혹(魅惑)하다. logaĵo, logilo 미끼, 유혹물. allogi <他>유혹하다, 꾀어내다(al iu, al io). alloga 흡인력 있는, 매력 있는. delogi, forlogi 유괴(誘拐)하다. ellogi 유출(誘出)하다, 꾀어내다, 속여 얻다. flatlogi 감언으로 속이다. mallogi <他>증오케 하다, 싫증나게하다.

14) pas-i [G3] <自> 지나가다(過), 통과(通過)하다 ; 넘어가다, 건너가다 ; 사라지다, 운명(殞命)하다, 서거(逝去)하다 ; 경과(經過)하다. pase 잠시(暫時) 동안에. pas(ad)o 통행, 통과 ; 경과 ; 추이(推移). pasaĵo 경과(經過), 사건(事件). forpasi<自> 사라지다, 서거하다. forpasigi 시간을 보내다, 소일하다.

이 순간 나는 엄마가 기뻐서 눈물 흘릴 수 있는 무언가를 하리라고 다짐했죠.
내 형이 엄마를 기쁘게 한 것처럼 나도 그렇게 하고 싶었어요.
학교에서 그림 그리는 것이 내겐 매력적이었어요.
나는 열심히 그리기 시작했죠.
선생님이 나를 격려했어요.
나는 미술교육원을 마쳤지만 내 첫 전시회 전에 엄마가 돌아가셨어요.
나는 엄마의 눈에서 기쁨을 보지 못 했죠.
하지만 나는 내가 만든 모든 것을 엄마에게 바치리라 결심했죠.
나중에 여러 번 나는 내 조각품을 살펴보는 사람들의 기쁨을 보았어요.
그리고 오늘 젊은이의 눈에서 똑같은 기쁨을 보았어요." 조각가는 말을 멈추었다.
그의 밝고 파란 눈은 푸른 언덕을 쳐다보았다.
햇빛이 비치는 밝은 날, 푸르른 산을 배경으로 예쁜 조각품들이 서 있었다.

6. INSIDO

En septembro Mina komencos studi farmacion en la ĉefurbo.

-Vi jam estas studentino – diris Dara, ŝia patrino, – sed en la ĉefurbo vi devas lui loĝejon. Tie loĝas Klara, la filino de mia kolegino Vanja. Mi petos ŝin, ke vi loĝu en ŝia hejmo.

Kompreneble ni lupagos. Klara kaj ŝia edzo estas simpatia, juna familio. Ili havas grandan loĝejon.

Dara kaj Mina veturis al la ĉefurbo, iris en la domon de Klara, kiu ekĝojis, kiam ŝi vidis ilin. Klara invitis ilin en la loĝejon, luksan apartamenton, mode meblitan. En la vasta ĉambro estis kafotablo, foteloj, bretaro, sur kiu videblis memoraĵoj el diversaj ekzotikaj landoj kaj urboj. Sur la muroj pendis abstraktaj pentraĵoj.

-Onjo Dara, bonan venon – diris Klara. – Delonge mi ne vidis vin.

-Via patrino eble telefonis al vi, ke ni venos.

-Jes – diris Klara.

-Mina estos studentino ĉi tie, en la ĉefurbo. Ŝi studos farmacion. Ni ŝatus demandi vin, ĉu eblas, ke ŝi loĝu en via domo. Mina ne konas la ĉefurbon kaj estus bone, se ŝi loĝus ĉe konata familio kiel vi.

함정

9월에 **미나**는 수도에서 약학을 공부하기 시작했다.
"너는 벌써 대학생이구나." 어머니 **다라**가 말했다.
"하지만 수도에서 방을 빌려야만 해.
거기에 내 직장 동료 **바냐**의 딸 **클라라**가 살고 있어.
네가 그녀 집에서 살도록 부탁할게.
물론 임차료는 낼 거야.
클라라와 그의 남편은 착하고 젊은 가족이지.
그들은 큰 집을 가지고 있어."
다라와 미나는 수도로 차를 타고 클라라의 집에 갔다.
그들을 보고 클라라는 기뻐했다.
클라라가 그들을 사는 곳, 현대식 가구가 있는 화려한 아파트로 안내했다.
넓은 방에는 커피용 탁자, 안락의자, 그 위에 여러 이색적인 나라와 도시에서 가져온 기념품들이 전시된 선반이 있었다.
벽에는 추상화가 걸려 있다.
"다라 이모, 어서 오세요." 클라라가 말했다.
"오랜만에 뵙게 됐어요."
"네 어머니가 아마 우리가 가리라고 전화했지."
"예" 클라라가 말했다.
"미나가 여기 수도에서 대학교에 다녀. 약학을 공부할 거야. 내 딸이 너희 집에서 살 수 있을지 묻고 싶구나.
미나는 수도를 잘 모르고 너처럼 아는 가족 옆에서 산다면 좋을 거야.

Tiel mi estos trankvila - diris Dara.
-Kompreneble.
La dudekkvinjara Klara havis nigran hararon kaj brunajn, migdalformajn okulojn.
-Nia loĝejo estas granda. Ni estas duope, Peter, mia edzo, kaj mi - emfazis Klara.
-Ni lupagos - diris Dara.
-Ne temas pri tio, onjo Dara. Peter kaj mi laboras. Ni ne bezonas monon.
-Almenaŭ ni pagu la kurenton, la hejtadon, la akvouzon.
-Bone, bone - ridetis Klara.
Dara forveturis trankvila, ke Mina loĝos en konata familio.
Mina kaj Klara fariĝis bonaj amikinoj. Klara zorgis pri Mina kiel pli aĝa fratino. Klara, Peter kaj Mina kune matenmanĝis, vespermanĝis. Klara kaj Mina aĉetumis, sabate kaj dimanĉe ili ekskursis, spektis teatraĵojn, koncertojn. Klara estis bankoficistino kaj konatigis Minan al siaj koleginoj, kiuj ofte gastis ĉe Klara.
En la familio de Klara kaj Peter, Mina tre bone fartis.
En la komenco tamen Mina ne rimarkis, sed post iom da tempo ŝajnis al ŝi, ke Peter estas tre afabla al ŝi.

그렇게 나는 안심할 것이고.” 다라가 말했다.
“물론이죠.”
25살의 클라라는 검은 머릿결, 복숭아 모양의 갈색 눈을 가졌다.
“우리 집은 큽니다.
우리는 남편 **페테르**와 저 둘뿐입니다.” 클라라가 강조했다.
“임차료는 낼 거야.” 다라가 말했다.
“그런 소리 마세요. 다라 이모. 페테르와 나는 일해요. 돈은 필요 없어요.”
“적어도 전기, 도시가스, 물 사용료는 낼 거야.”
“좋습니다. 좋아요.” 클라라가 되풀이했다.
다라는 미나가 아는 가정집에서 살게 되어 안심하고 떠났다.
미나와 클라라는 좋은 친구가 되었다.
클라라는 미나를 언니로서 잘 돌보았다.
클라라, 페테르, 미나는 함께 아침과 저녁을 먹었다.
클라라와 미나는 쇼핑하고 주말에 소풍을 가고. 연극과 음악회를 관람했다.
클라라는 은행 직원이고 클라라 집에 손님으로 자주 오는 직장 동료들을 소개해 주었다.
클라라와 페테르 가정에서 미나는 아주 잘 지냈다.
하지만 처음에 미나는 알아차리지 못했지만 조금 뒤에 페테르가 그녀에게 아주 친절하게 대하는 것 같았다.

Pli aĝa ol Klara, Peter estis alta, svelta kun atleta korpo, blondharara kaj kun okuloj, kiuj havis ĉokoladkoloron. Peter laboris en internacia firmao, ofte veturis eksterlanden kaj kiam li revenis, li portis donacojn al Klara kaj memoraĵojn al Mina.
De tempo al tempo Peter diris iun komplimenton al Mina, ke ŝi estas bela aŭ ke ŝi havas ĉarmajn okulojn. Mina vere estis bela, kun gracia korpo, kun mola, silka hararo kaj marbluaj okuloj, kies rigardo estis milda.
Iun tagon, kiam Klara ne estis hejme, Peter subite eniris la ĉambron de Mina. Ŝi deziras demandi, ĉu li bezonas ion, sed Peter proksimiĝis, ĉirkaŭbrakis ŝin kaj komencis flustri:
-Mina, vi estas la plej bela knabino, kiun mi vidis en la mondo. Vi sorĉas min kaj mi forgesas, kiu mi estas.
Mina provis delikate liberigi sin, sed Peter pli forte tenis ŝin. Tiam Mina forpuŝis lin kaj forkuris el la ĉambro.
Konfuzita, ofendita, timigita, ŝi ekploris. Ŝi ne sciis kion fari.
Mina tute ne atendis tion de Peter. Ŝi estimis lin, sed tiu ĉi lia ago estis netolerebla. Mina ne deziris diri al Klara, kio okazis.

클라라보다 조금 나이 많은 페테르는 키가 크고 날씬하고 운동선수 같은 몸매에 금발이고 초콜릿 색 눈을 가졌다.
페테르는 외국계 회사에서 일해 자주 외국으로 나갔고 돌아올 때는 클라라에겐 선물을, 미나에겐 기념품을 가져다주었다.
때로 페테르는 미나에게 예쁘다거나 매력적인 눈을 가졌다고 그런 칭찬을 했다.
미나는 정말 예쁘고 날씬한 몸매, 부드럽고 비단결 같은 머릿결, 부드러운 바다색 눈동자를 가졌다.
어느 날 클라라가 집에 없을 때 페테르가 갑자기 미나의 방에 들어왔다.
무엇이 필요하냐고 묻고 싶었지만, 페테르는 가까이 와서 그녀를 껴안고 속삭였다.
"미나, 너는 세상에서 내가 본 가장 예쁜 여자야.
너는 나를 끌어당겨. 나는 내가 누군지 잊어버렸어."
미나는 부드럽게 벗어나려고 했지만, 페테르는 더욱 세게 그녀를 끌어안았다.
그때 미나는 그를 밀치고 방에서 나와 도망쳤다.
당황하고 상처받고 무서워진 그녀는 울기 시작했다.
그녀는 무엇을 할지 알지 못했다.
미나는 페테르의 그런 행동을 전혀 예상하지 못했다.
그녀는 그를 존경했지만 이런 그의 행동은 참을 수 없었다.
미나는 무슨 일이 있었는지 클라라에게 말하려고 하지 않았다.

Tio ege dolorigos kaj vundos ŝin.

Posttagmeze Klara revenis el la laborejo. Kiel ĉiam, ŝi kisis Peter kaj demandis lin, kiel pasis la tago. Ŝi komencis prepari la vespermanĝon.

-Ĉu Mina estas hejme? - demandis Klara.

Peter diris:

-Ŝi koleriĝis kaj eliris.

Klara miris, rigardante lin per larĝe malfermitaj okuloj.

-Koleriĝis? Kial?

-Mi ne deziras maltrankviligi vin - diris Peter, - sed la eta Mina provis tenti min. Hodiaŭ ŝi venis al mi, diris, ke ŝi delonge amas min kaj provis kisi min. Mi diris al ŝi, ke mi estas edzo, mi forpuŝis ŝin. Ŝi koleriĝis kaj eliris.

Klara kiel ŝtonigita rigardis Peteron. Ŝi ne deziris kredi, ke tio vere okazis.

-Ĉu? Kiel? - balbutis ŝi.

Ŝia sango kiel ardega lafo bolis en ŝia kapo. Ŝia vizaĝo pli kaj pli ruĝiĝis.

-Tio estas terura! - diris Klara. - Mi opiniis, ke mi bone konas Minan. Tiu ĉi fiulino aspektis modesta, silentema kaj naiva.

Post horo Mina revenis hejmen. Klara demandis ŝin:

-Kie vi estis?

그것은 그녀에게 매우 고통을 주고 상처를 줄 것이다.
오후에 클라라가 직장에서 돌아왔다.
평소처럼 그녀는 페테르에게 키스하고 하루를 어떻게 보냈는지 물었다.
그녀는 저녁을 준비했다.
"미나는 집에 있나요?" 클라라가 물었다.
페테르가 대답했다. "그 애는 화가 나서 나갔어."
클라라는 놀라서 눈을 크게 뜨고 그를 바라보았다.
"화가 났다고? 왜?"
"당신을 걱정하게 하고 싶지 않아." 페테르가 말했다.
"하지만 어린 미나가 나를 유혹하려고 했어.
오늘 나에게 와서 오래전부터 나를 사랑했다고 말하고 나에게 키스하려고 했어.
나는 미나에게 내가 유부남이라고 말하며 밀쳐냈지.
미나는 화가 나서 나갔어."
클라라는 돌처럼 굳은 채 페테르를 바라보았다.
그녀는 그런 일이 정말 일어났다고 믿고 싶지 않았다.
"정말로? 어떻게?" 그녀는 말을 더듬었다.
그녀의 피는 아주 뜨거운 용암처럼 머리에서 끓었다.
그녀의 얼굴은 점점 더 붉어졌다.
"그건 잔인한 일이야." 클라라가 말했다.
"나는 미나를 잘 안다고 생각했어. 이 못된 여자애는 겸손하고 과묵하고 순진한 척했구먼."
1시간 뒤 미나는 집에 돌아왔다.
클라라가 그녀에게 물었다.
"어디 있었니?"

-Kun amikino mi promenis en la parko - respondis Mina.
Klara komencis malrapide paroli.
-Mi neniam supozis, ke vi agos tiel. Vi provis tenti mian edzon. Vi - publikulino![15]
Mina ekploris. Kiel klarigi al Klara, kio okazis. Klara ne kredus al ŝi. Mina eliris. Ŝi eniris sian ĉambron, rapide ŝi metis siajn vestojn en sakon kaj foriris.

15) publik-o 공중(公衆), 민중(民衆), 일반국민, 군중(群衆); 세인(世人); 관중, 청중. leganta publiko 독서계(讀書界), 독자(讀者). publika 공공(公共)의, 공중의, 민중의, 국민일반의; 공설(公設)의, 공개(公開)의, 일반의. publik(ig)i 공개하다; 발표하다, 공포하다, 발행하다, 출판하다, 간행(刊行)하다. publikulino 창녀(娼女), 갈보. malpublikigi 방청금지(傍聽禁止)하다, 비밀히하다 (malpublikigi diskuton 비밀히하다).

“친구와 공원에서 산책했어요.” 미나가 대답했다.
클라라는 천천히 말했다.
“나는 네가 그렇게 행동하리라고 전혀 짐작하지 못했어. 네가 내 남편을 유혹하려고 했지. 너는 창녀구나.”
미나는 울음을 터뜨렸다.
‘무슨 일이 일어났다고 어떻게 클라라에게 설명하지? 클라라는 나를 믿지 않을 것이다.’
미나는 집을 나가려고 마음먹었다.
그녀는 방에 들어가서 서둘러 그녀의 옷을 가방에 넣고 집을 나왔다.

7. VELKO KAJ LA PANO

Velko ofte diris: "Mi ne havas ŝncon en la vivo." Li naskiĝis en ordinara familio. Lia patro laboris en fabriko por aŭtomobilaj radoj, lia patrino estis kudristino. Velko estis malbona lernanto. En la lernejo li penis, sed liaj notoj estis nekontentigaj. Velko ne povis bone memori la lecionojn kaj li tute ne komprenis matematikon, fizikon, kemion.
Fininte la mezlernejon li komencis labori en teksfabriko, kie fakestro estis parenco de lia patrino, tamen Velko ne kapablis alproprigi la metion. "Li deziras labori - diris la fakestro, - sed li estas tre mallerta. Tiel li turmentas sin kaj nin."
Velko forlasis la laboron en la teksfabriko. Oni dungis lin en vinfabriko, sed tie li same ne povis bone labori. Velko provis aliajn metiojn. Nenie li trovis taŭgan laboron. Liaj gepatroj maltrankviliĝis ĉu iam Velko sukcesos ie labori kaj kiel li vivos sen laboro.
Iun vesperon Velko diris al siaj gepatroj, ke li iros en alian urbon, kie verŝajne li trovos laboron. La gepatroj ne kontraŭstaris. Ili donis al li iom da mono kaj la patro diris:

벨코와 빵

벨코는 자주 말했다. '나는 인생에 운이 없어.'
그는 평범한 가정에서 태어났다.
아버지는 자동차 바퀴를 만드는 공장에서 일했고 어머니는 재봉사다. 벨코는 좋은 학생은 아니었다.
학교에서 애는 썼으나 점수는 만족스럽지 않았다.
벨코는 교과목을 잘 기억할 수 없었고, 수학·물리·화학을 전혀 이해하지 못했다.
중학교를 마친 뒤 직물공장에서 일했는데, 그 부서장은 어머니의 친척이었다.
하지만 벨코는 그 직업에 적응할 수 없었다.
그는 일하려고 했다. 부서장이 말했다.
"하지만 그 아이는 매우 서툴러. 그래서 자신도 우리에게도 고통을 끼쳐."
벨코는 직물공장에서 일을 그만두었다.
포도주 공장에서 그를 채용했지만 거기서도 마찬가지로 일을 잘할 수 없었다.
벨코는 다른 직업을 구하려고 했다.
어디에서도 적당한 일을 찾지 못했다.
부모님은 벨코가 언젠가 어디에서 일자리를 찾을 것인지, 일하지 않고 어떻게 살 것인지 걱정했다.
어느 날 저녁 벨코는 부모님에게 정말 일자리를 찾으려고 다른 도시로 가겠다고 말했다.
부모님은 반대하지 않았다.
그에게 약간의 돈을 주고 아버지께서 말씀했다.

-Se vi ne sukcesos trovi taŭgan laboron, revenu hejmen.
Oni facile forpelus vin el la laborloko, sed el la domo – neniu forpelos vin. La pordo de la naska domo estas ĉiam malfermita.
Velko ekveturis. La vagonaro pasis tra vastaj kampoj, arbaroj, montoj. Velko estis en malgrandaj urboj, kie li laboris dum iom da tempo kaj denove li ekveturis. Iun matenon li venis en montaran urbeton. Estis suna maja mateno. La ĉielo bluis kiel vasta silka tolo. La montaro ĉe la urbo similis al granda duĝiba kamelo, kuŝanta por iom ripozi. Regis silento kaj trankvilo. Sur la etaj stratoj ne videblis homoj. Velko sidis sur benko en parko, rigardanta la monton. Sur la strato ĉe la parko estis panbakejo, el kiu viro elportis kestojn da freŝbakitaj panoj. Li estis alta blankharara kun nigraj okuloj kiel fulgo, eble sepdekjara. Tre pene li portis la kestojn kaj metis ilin en ne tre grandan aŭtomobilon. Velko decidis helpi lin. Li staris de la benko kaj iris al la panbakejo.
-Oĉjo, mi helpos vin – diris Velko.
La viro alrigardis lin mire, iom hezitis, sed diris:
-Bone.
Ambaŭ rapide metis la kestojn en la aŭtomobilon.

“적당한 일자리를 얻지 못하면 집으로 돌아와라.
일터에서는 너를 쉽게 쫓아낼 테지만 집에서는 누구도 너를 쫓아내지 않으니까.
고향의 집은 문이 항상 열려 있어.” 벨코는 출발했다.
기차가 넓은 들판, 숲, 산을 지나갔다.
벨코는 작은 도시에서 얼마간 일하고 다시 출발했다.
어느 날 아침 작은 산골에 도착했다.
태양이 빛나는 오월의 아침이었다.
하늘은 넓은 비단 천처럼 파랗다.
도시 옆의 산은 잠시 쉬기 위해 누워 있는 두 개의 등을 가진 커다란 낙타 같았다.
침묵과 평온함이 깔려있다.
작은 도로 위에는 사람들을 거의 볼 수 없다.
벨코는 산을 바라보면서 공원의 작은 의자에 앉았다.
공원 옆 도로 쪽에 빵집이 하나 있는데 한 남자가 신선한 빵 상자를 가지고 나온다.
그는 키가 크고 흰머리에 검댕처럼 검은 눈동자, 아마 70세쯤 되었을까? 힘들게 상자를 옮겨 와 그것들을 그렇게 크지 않은 자동차 안에 집어넣었다.
벨코는 그분을 도와주려고 마음먹었다.
그는 의자에서 일어나 빵 가게로 갔다.
“아저씨, 제가 도와드릴게요.” 벨코가 말했다.
남자는 놀라서 그를 바라보더니 조금 주저하며 말했다.
“좋아요.”
두 사람은 재빠르게 상자를 자동차 안으로 집어넣었다.

-Kie vi liveros la panon? - demandis Velko.
-En la vilaĝoj, en la monto.
-Mi venos helpi vin - proponis Velko.
La viro denove iom hezitis.
-Bone - diris li. - Mi havis helpanton, sed li edziĝis kaj ekloĝis en alia urbo.
La viro kaj Velko eniris la aŭtomobilon kaj ekveturis.
La ŝoseo serpentumis tra densa pinarbaro pli supren kaj pli supren.
-Ĉi tie estas kelkaj vilaĝoj - diris la panbakisto. - Malmultaj homoj loĝas en ili, sed sen pano ili ne povas vivi kaj mi liveras al ili la panon. Kiel vi nomiĝas?
-Velko.
-Mia nomo estas Najden. Videblas, ke vi ne loĝas ĉi tie.
-Ne.
-Ĉu vi venis ekskursi?
-Ne - respondis Velko. - Mi deziras loĝi en malgranda silenta urbo.
-Strange. Nun ĉiuj junuloj deziras loĝi en la grandaj urboj. Eĉ iuj ekloĝis eksterlande.
-Mi ne ŝatas la grandajn urbojn - diris Velko.
Najden alrigardis lin kaj post iom da silento li diris:

"빵을 어디로 배달하십니까?" 벨코가 물었다.
"산에 있는 마을로"
"제가 도우러 갈게요." 벨코가 제안했다.
남자는 다시 조금 망설였다.
"좋아요." 그는 말했다.
"나는 돕는 사람이 있었는데 그가 결혼한 후 다른 도시에서 살아요."
남자와 벨코는 차를 타고 출발했다.
오솔길은 무성한 소나무숲을 꼬불꼬불 지나 자꾸만 위쪽으로 더 위로 이어졌다.
"여기에 마을이 몇 개 있어요."
빵 굽는 이가 말했다.
"그곳에는 사람이 적게 살지만 빵 없이는 살 수 없어서 그들에게 내가 빵을 배달해요. 이름이 무엇이지요?" "벨코입니다."
"내 이름은 **나이덴**이요. 젊은이는 여기 사는 것 같지 않네요."
"예"
"소풍하러 왔나요?"
"아니요." 벨코가 대답했다.
"저는 작고 조용한 도시에서 살고 싶어요."
"이상하네. 지금 모든 젊은이는 대도시에 살고 싶어 하는데. 누구는 외국에서 살죠."
"저는 큰 도시를 좋아하지 않아요." 벨코가 말했다.
나이덴은 그를 바라보고 조금 쉬었다가 말했다.

-En nia urbo vi facile trovos loĝejon kaj se vi deziras, vi povus labori en mia panbakejo.
-Ĉu mi sukcesos ellerni vian metion - diris Velko.
-Ne zorgu pri tio. Mi instruos vin.
Najden kaj Velko liveris la panon en la vilaĝoj kaj revenis en la urbeton.
-Vi povus loĝi en mia domo - proponis Najden. - Miaj filo kaj bofilino loĝas en Hispanio. En la domo estas mi kaj mia edzino.
-Dankon - diris Velko.
De tiu ĉi tago li ekloĝis en la domo de Najden kaj eklaboris en la panbakejo. Velko tute ne certis, ke li sukcesos bone labori, tamen iom post iom li ellernis knedi la paston kaj baki la panon. Kvazaŭ ĉiam li revus esti panbakisto. La odoro de la freŝbakita pano sorĉis kaj ĝojigis lin.
-La pano, Velko, - diris Najden - havas animon. La pano estas kiel eta infano. Oni devas atente knedi ĝin por esti bongusta. La gepatroj ame edukas la infanojn por ke ili estu bonaj homoj, same la panbakistoj devas ame fari la panon.
Kaj Velko ame laboris. La pasto ŝajne spiris en liaj manoj kaj la pano kvazaŭ vivus. La pasto fermentis, la pano bakiĝis kaj la helbrunaj panbuloj ĝojigis Velkon.

"우리 도시에서 쉽게 집을 구할 수가 있을 거요.
원한다면 내 빵집에서 일할 수 있어요."
"그 기술을 배울 수도 있을까요?" 벨코가 물었다.
"걱정하지 마요. 내가 가르쳐줄 테니까."
나이덴과 벨코는 빵을 마을에 배달하고 작은 도시로 돌아왔다.
"내 집에서 살 수 있어요." 나이덴이 권유했다.
"내 아들과 며느리는 스페인에서 살아요. 집에는 나와 내 아내밖에 없어요."
"감사합니다." 벨코가 말했다.
이날부터 그는 나이덴의 집에서 살기 시작했고 빵집에서 일했다.
벨코는 일을 잘 하는지 전혀 확신하지 못하지만 조금씩 파스타를 반죽하고 빵 굽는 것을 배웠다.
언제나처럼 그는 빵 굽는 사람이 되는 꿈을 꾸었다.
신선하게 구워진 빵 냄새가 매력적이며 그를 기쁘게 했다. 나이덴이 말했다.
"빵은 영혼이 있어. 빵은 작은 어린아이 같아.
맛있게 되려면 주의해서 그것을 잘 반죽해야 해."
부모들은 빵 제조업자가 사랑하며 빵을 만드는 것과 마찬가지로 사랑으로 어린아이를 교육한다.
그리고 벨코는 사랑하며 일했다.
파스타는 그의 손에서 숨을 쉬는 것 같았고 빵은 마치 살아있는 듯했다.
파스타가 익고 빵이 구워지고 밝은 갈색 빵 덩어리가 벨코를 기쁘게 한다.

-Velko, vi jam pli bone ol mi faras panon - diris Najden.

Tiuj ĉi vortoj de la maljuna panbakisto igis Velkon feliĉa. Li sciis, ke li jam ne estas la mallerta junulo, kiu ne povis trovi taŭgan laboron. Nun li scipovis[16] fari bonan kaj bongustan panon.

16) sci-i <他> 알다, 확실히 알다, 할 줄 알다; 지식이 있다, 이해하다. scio 앎, 지식(知識). sciado 앎. sciaĵo 지식, 정보(情報). sciema, sciama, scivola, sci avida 호기(好奇)의, 알려고 하는, 알고(배우고) 싶어하는. sciigi 알리다, 통지하다. sciiĝi 알다. scivoli <他 > 알고자 하다, 알기를 원하다. scivoligi 호기심(好奇心)을 이끌다. antaŭscii <他> 사전에 알다. antaŭsciigi 사전에 알리(통지하다)다. ĉionsci(ant)a 다 아는. alscio, nescio, nenionsciado, sensci(ec)o 무지(無知). povoscii, scipovi 알다, 할 줄 알다.

“벨코, 너는 벌써 내가 빵을 만드는 것보다 더 잘 해.” 나이덴이 말했다.
늙은 빵 제조업자의 이 말이 벨코를 행복하게 만들었다. 그는 이제 적당한 일을 찾을 수 없는 미숙한 젊은이가 아님을 알았다.
지금 그는 좋고 맛있는 빵 만드는 것을 잘 알고 있다.

8. LA FERA BIRDO

Kiam ili konatiĝis, la printempo kiel mirinda birdo vastigis buntajn flugilojn. La ĉielo bluis, la herbejoj verdis, la arboj floris. Margarita estis malalta, svelta, simila al fragila arbeto. Ŝi havis brunajn okulojn kaj lipojn kiel rozan burĝonon. Ŝia hararo onde kovris ŝiajn ŝultrojn.

Rosen kaj Margarita lernis en la sama lernejo, sed en malsamaj klasoj. En la komenco de la monato marto en la lernejo okazis literatura konkurso, en kiu ambaŭ partoprenis.

La temo de la konkurso estis: "La mondo de floroj kaj beleco".

Jam de la infaneco Rosen verkis versaĵojn, sed al neniu li kuraĝis montri ilin. Kiam li estis malĝoja, aŭ kiam io forte impresis lin, li eksidis en la parko kaj ekverkis. La vortoj fluis kiel torento. Iu kvazaŭ diktis ilin al Rosen. Li ekskribis kaj nerimarkeble la poemo aperis sur la blanka folio. Rosen jam havis kelkajn kajerojn kun poemoj. Liaj emocioj, imagoj, revoj, sopiroj estis en tiuj ĉi poemoj.

Kiam oni anoncis la rezultojn de la literatura konkurso, Rosen surpriziĝis. Li tute ne supozis, ke lia poemo estos premiita.

철(鐵) 새

그들이 알게 되었을 때 봄은 놀라운 새처럼 온갖 날개를 펼쳤다.
하늘은 파랗고 풀밭은 푸르고 나무는 꽃을 피웠다.
마르가리타는 키가 작고 날씬하여 여린 묘목과 같다.
그녀는 갈색 눈동자에 장미 꽃봉오리 같은 입술을 가졌다. 그녀의 머리카락은 파도처럼 어깨를 덮었다.
로젠과 마르가리타는 같은 학교에서 공부하지만, 반은 다르다.
3월 초에 학교에서는 문학 경연대회가 열렸는데 두 사람은 거기 참가했다.
경연대회의 주제는 '꽃들의 세계와 아름다움'이었다.
이미 어릴 때부터 로젠은 글을 썼지만, 누구에게도 그것을 보여줄 용기가 없었다.
그가 슬플 때 또는 뭔가가 강하게 인상적일 때 그는 공원에 앉아 글을 썼다.
단어들은 급류처럼 흘러갔다.
누군가가 그것들을 로젠에게 마치 읽어 주는 것 같았다.
그가 글을 쓰기 시작하고 어느새 시가 하얀 종이 위에 나타났다.
로젠은 벌써 시가 적혀 있는 공책을 몇 권 가지고 있다.
그의 감정, 상상, 꿈, 그리움이 이런 시들에 있다. 문학 경연대회의 결과가 나왔을 때 로젠은 깜짝 놀랐다.
그의 시가 입상되리라고 짐작조차 못 했다.

Li gajnis duan premion. Tio estis lia unua poezia sukceso. Margarita gajnis la unuan premion. Tiel dank'al la literatura konkurso Rosen kaj Margarita konatiĝis. Ili komencis renkontiĝi ĉiutage, post la lernohoroj, en la loĝkvartala parko, kiu allogis ilin per siaj silento kaj trankvilo. Ili sidis sur benko sub la branĉoj de olda kaŝtanarbo kaj legis siajn poemojn unu al la alia. Tiuj ĉi momentoj estis la plej belaj en la vivo de Rosen. Li aŭskultis la melodian voĉon de Margarita kaj kvazaŭ li vidis vastajn kampojn, altajn montojn, marajn ondojn kaj orecajn sunsubirojn.

En la parko estis malnova preĝejo, blanka kiel mevo kaj ne tre granda. Sur la kupolo de la preĝejo staris fera kruco kaj fera birdo. Rosen ofte rigardis la birdon kaj demandis sin kio ĝi estas - ĉu kolombo aŭ aglo. Ĝi pli similis al kolombo. Tamen kial la fera birdo estas sur la kupolo de la preĝejo kaj kion ĝi simbolas? Tio tiklis la fantazion de Rosen. Sur la kupoloj de aliaj preĝejoj li ne vidis birdon. Rigardante ĝin Rosen meditis, ke iam li nepre verku poemon pri tiu ĉi fera birdo, kiu aspektis enigma kaj mistera. Foje li demandis Margaritan:

그는 2등 상을 받았다.
이것은 그의 첫 번째 시의 성공이었다.
마르가리타는 1등 상을 받았다.
그렇게 문학 경연대회 덕분에 로젠과 마르가리타는 알게 되었다.
그들은 매일 수업이 끝나고 조용하고 편안해서 매력적인 주거지역 공원에서 만나기 시작했다.
그들은 오래된 밤나무 가지 아래 있는 의자에 앉아 자기들의 시를 서로 읽었다.
이 순간이 로젠의 삶에서 가장 아름다웠다.
그는 마르가리타의 가락 있는 목소리를 듣고, 마치 넓은 들, 높은 산, 바다의 파도, 황금빛으로 찬란한 석양을 보는 듯했다.
공원에 옛 성당이 있는데 갈매기처럼 하얗고 그렇게 크지는 않다.
성당의 둥근 지붕 위에는 철로 된 십자가와 철새가 서 있다.
로젠은 자주 새를 바라보고 그것이 비둘기인지 독수리인지 궁금했다. 그것은 비둘기를 더 닮았다.
하지만 철새가 왜 성당 둥근 지붕 위에 있으며 무엇을 상징할까?
그것이 로젠의 환상을 건드렸다.
다른 성당의 둥근 지붕 위에서는 새를 보지 못했다.
그것을 쳐다보면서 수수께끼 같고 신비롭게 보이는 이 철새에 관해 시를 꼭 쓰겠다고 깊이 생각했다.
한번은 마르가리타에게 물었다.

-Kiam vi rigardas la feran birdon, pri kio vi pensas?
La brunaj okuloj de Margarita ruzete ekbrilis. Ŝi alrigardis lin kaj diris:
-Mi pensas pri vi. Venante en la parkon, mi vidas la birdon kaj mi scias, ke post kelkaj minutoj mi vidos vin.
- Vi kaj mi verku poemojn pri la fera birdo - proponis Rosen.
-Bonege - konsentis Margarita.
-Eble nur ni verkos poemojn pri tiu ĉi birdo, ĉar la aliaj homoj certe eĉ ne rimarkas ĝin.
-Ĝi estas nia birdo - diris Margarita.
Iun nokton, en la komenco de junio, okazis incendio en la preĝejo. Verŝajne oni forgesis en ĝi neestingitan kandelon.
La grandaj flamoj etendiĝis al la ĉielo. Kolektiĝis multaj homoj, venis fajrobrigado, sed oni ne sukcesis estingi la fajron.
La sekvan tagon Margarita kaj Rosen denove estis en la parko. De la blanka preĝejo estis nur la muroj, nigraj pro la incendio. Ne plu estis la kupolo kun la fera kruco kaj la birdo.
-Nia birdo malaperis - flustris triste Margarita.
-Ne! - diris Rosen. - Ĝi forflugis kaj kiam oni denove konstruos la preĝejon, ĝi revenos.

“철(鐵) 새를 볼 때 무슨 생각이 드니?”
마르가리타의 갈색 눈은 야릇하게 빛났다.
그녀는 그를 바라보더니 말했다.
“너를 생각해. 공원에 와서 새를 보고 몇 분 뒤면 너를 보게 될 것을 알아. ”
“너와 나, 철새에 관해 시를 쓰자.” 로젠이 제안했다.
“아주 좋아.” 마르가리타가 동의했다.
“아마 너만이 이 새에 관해 시를 쓸 거야.
다른 사람들은 분명 그것을 알아차리지 못하니까.”
“그것은 우리의 새야.” 마르가리타가 말했다.
어느 밤 6월 초에 성당에 큰불이 났다.
정말 촛불 끄는 것을 잊은 듯했다.
커다란 불꽃이 하늘까지 뻗었다.
많은 사람이 모이고 소방대가 왔지만 불을 끄는 데 성공하지 못했다.
다음날 마르가리타와 로젠은 다시 공원에 왔다.
하얀 성당은 화재 때문에 검게 된 벽만 남았다.
철로 된 십자가와 새가 있는 둥근 지붕 위에는 아무것도 없다.
“우리 새가 사라졌어.”
슬프게 마르가리타가 속삭였다.
“아니야.” 로젠이 말했다.
“그것은 멀리 날아가서 우리가 다시 건물을 지으면 돌아올 거야.

Ja, ĝi estas nia birdo. Ĝi nepre[17] revenos al ni.
-Jes - diris Margarita.
Ŝi ĉirkaŭbrakis Rosenon kaj tenere kisis lin. De ŝia kiso Rosen kvazaŭ ekflugis kiel feliĉa birdo.

17) nepr-a 틀림없는, 반드시 있어야할, 절대적으로 필요한, 의당히 하여야 할 (=tute certa, absolute necesa, tute neevitebla, tute deviga). nepre 꼭, 반드시, 틀림없이. neprigi 절대로 필요케하다.

그것은 정말 우리의 새야.
꼭 우리에게 돌아올 거야. ”
“그래” 마르가리타가 말했다.
그녀는 로젠을 껴안고 살며시 입맞춤했다.
그녀의 입맞춤에 로젠은 마치 행복한 새처럼 날아갔다.

9. LA KAJTO

En suna printempa mateno Pavel eniris la malnovan budon en la korto de la domo, serĉante la tondilon por tondi la heĝon. En la negranda ejo troviĝis malnovaj ĝardenistaj iloj, kiuj de multaj jaroj silente kaj kviete restadis ĉi tie. Sur la polvaj lignaj bretoj kuŝis tenajloj, ŝraŭbturniloj, segiloj, hakilo, rabotilo, rustiĝintaj najloj··· Ĉon kolektis lia patro. La diversaj iloj, kuŝantaj precize ordigitaj sur la bretoj, estis la sola pruvo, ke la patro de Pavel iam vivis, laboris, zorgis pri la familio, pri la familia ĝardeno, pri la fruktaj arboj en la korto de la domo.

La homo forpasas, meditis Pavel, sed restas la iloj, per kiuj li laboris. Pavel ne trovis la heĝtondilon, sed li atente trarigardis ĉion, kio estis en la budo. En unu el la anguloj li rimarkis sian iaman infanan biciklon. Li klinis sin kaj ĉe la biciklo li vidis la kajton. Tuj multaj rememoroj vekiĝis en li kvazaŭ varmeta vento karesis lian vizaĝon.

Tiutempe Pavel lernis en la tria klaso en la baza lernejo kaj li tre deziris havi kajton. La aliaj infanoj havis kajton kaj Pavel ofte rigardis ilin.

연

해가 비추는 봄날 아침에 **파벨**은 울타리를 자르려고 가위를 찾아서 집 마당에 있는 낡은 오두막에 들어갔다.
좁은 장소에 수년간 말없이 조용하게 여기 남겨진 정원사의 많은 도구가 있다.
먼지 덮인 나무 선반 위에 집게, 드라이버, 톱, 도끼, 대패, 녹슨 못 등이 있다.
모든 것을 그의 아버지가 모았다.
선반 위에 가지런히 정리된 다양한 도구들은 파벨의 아버지가 언젠가 살았고 일했고 가정, 가족 정원, 집 마당 과일나무를 돌보았다는 유일한 증거다.
사람은 가고 없지만, 그가 일하면서 사용한 연장들은 남아 있다고 파벨은 생각했다.
파벨은 가위를 찾지 못했지만, 오두막에 있는 모든 것을 자세히 살폈다.
한구석에서 그의 어릴 적 자전거를 찾았다.
그는 몸을 숙여 자전거 옆에서 연을 보았다.
마치 따뜻한 바람이 그의 얼굴을 어루만지듯 바로 많은 기억이 그 안에서 깨어났다.
그때 파벨은 초등학교 3학년에서 공부했는데 연을 무척 갖고 싶었다.
다른 아이들은 연을 가지고 있어 파벨은 자주 그들을 구경만 했다.

La infanoj kuris kaj iliaj koloraj kajtoj flugis alte en la ĉielo.
-Bone – diris foje la patro de Pavel. – Mi faros al vi kajton.
Eble tiam la patro, kiel Pavel, same deziris vidi la flugadon de kajto. Per granda entuziasmo la patro komencis fari la kajton. Li elektis maldikajn latetojn, pergamenitan paperon sur kiu li pentris infanan vizaĝon kun grandaj okuloj kaj eta ruĝa nazeto. Pavel rigardis kiel laboras la patro kaj li ne havis paciencon preni la kajton kaj ekkuri por ke la kajto ekflugu.
Kiam la kajto estis preta, Pavel kaj la patro iris sur la straton. Pavel tenis la ŝnuron kaj kuris. La kajto komencis leviĝi, sed post sekundoj ĝi falis sur la teron. Tio iom ĉagrenis Pavelon, sed li denove ekkuris. Nun la kajto pli alten leviĝis, sed denove falis. Eble ĝi ne estis bone farita. La patro same ne komprenis kial la kajto ne flugas. Li prenis ĝin, metis aliajn latetojn pli malpezajn, sed denove la kajto ne flugis. Finfine la patro ne plu okupiĝis pri la kajto. Li nur diris al Pavel:
-Pavel, por la flugado necesas libereco. Nia kajto estas ligita per ŝnuro kaj tial ĝi ne flugas.
Post la malsukcesaj provoj de la ekflugo de la kajto, Pavel forgesis ĝin.

아이들이 달리고 색깔 있는 연들이 하늘 높이 날았다.
"좋아." 한 번은 아버지가 말했다.
"내가 연을 만들게."
아마 그때 아버지는 파벨과 마찬가지로 연날리기를 보고 싶어 했다.
커다란 열정으로 아버지는 연을 만들기 시작했다.
그는 마른 대나무와 커다란 눈과 붉고 작은 코를 가진 어린이 얼굴을 그린 양피지를 골랐다.
파벨은 아버지가 어떻게 일하는지 보았고, 연을 들고 날리려고 안절부절못했다.
연이 준비되자 파벨과 아버지는 거리로 나갔다.
파벨은 끈을 잡고 달렸다.
연은 뜨기 시작하더니 몇 초 뒤에 땅으로 떨어졌다.
그것이 파벨을 조금 화나게 했지만, 다시 달렸다.
지금 연은 조금 높이 뜨더니 또 떨어졌다.
아마 그것이 제대로 만들어지지 않았다.
아버지도 마찬가지로 왜 연이 날아가지 않는지 알지 못했다.
아버지는 그것을 잡고 더 가벼운 다른 대나무를 두었지만, 다시 연은 날아가지 못했다.
마침내 아버지는 연에 더 신경 쓸 수 없었다.
그는 파벨에게 오로지 말했다.
"파벨, 나는 데는 자유가 필요해. 우리 연은 끈으로 묶여 있어. 그래서 날지 못해."
연날리기 시도의 실패 뒤에 파벨은 그것을 잊었다.

La patro tamen metis ĝin en la budo kaj nun Pavel trovis ĝin. Li prenis la malnovan kajton kaj iris el la budo. Ekstere blovis venteto. Pavel decidis provi ĉu la kajto ekflugos. Li prenis la ŝnuron, faris kelkajn rapidajn paŝojn kaj miraklo - la kajto ekflugis. Pavel levis la kapon por vidi kiel ĝi flugas, sed ellasis[18] la ŝnuron. La kajto rapide leviĝis alten en la ĉielo. Ĝi flugis pli alten kaj pli alten. Pavel rigardis ĝin kaj ŝajnis al li, ke la infana vizaĝo, kiun la patro pentris sur la kajto, ridetas. La kajto flugis kaj fariĝis ege malgranda. Pavel rememoris la vortojn de sia patro: "Por flugi necesas libereco.
La kunligita homo ne povas flugi. Nur la libera homo flugas kaj realigas siajn kuraĝajn revojn."

18) las-i <他> 포기(抛棄)하다, 버리다, 그만두다 ; 두어두다 (제자리에, 원래의 상태 · 상황대로) ; 막지 않다, 허락하다, …시켜두다 ; 남겨주다. allasi <他>하게하다, 허락하다, 지나가게 하다. allasebla 허락할 수 있는. delasi 놓다 ; 두다. ellasi <他> 나가게 하다, 내놓다. el lasilo (총의) 방아쇠, (시계 톱니바퀴등의) 방탈(防脫)장치, 배출구, 누출구. enlasi <他> 들어오게하다. forlasi <他> 버리다, 포기하다 ; 생략하다. forlasita 버림받은, 생략된. neforlasebla 불가결(不可缺)한, 없어서 안되는. postlasi 남기다, 두고가다. postlasaĵo 유물(遺物), 유산(遺産), 여위(餘威). preterlasi 지나쳐보내다(기회 등을), 빠뜨리다, 무시하다, 간과(看過)하다. tralasi 지나치게 하다.

하지만 아버지는 그것을 화단에 두었고 지금 그는 그것을 찾은 것이다.
그는 낡은 연을 들고 오두막을 나왔다.
밖에는 조그맣게 바람이 불었다.
파벨은 연이 날아가는지 보려고 마음먹었다.
그는 끈을 잡고 발걸음을 몇 번 빠르게 했는데 기적처럼 연이 날기 시작했다.
파벨은 그것이 어떻게 나는지 보려고 머리를 들고 끈을 놓았다.
연은 빠르게 하늘 위로 높이 날았다.
그것은 더 높이 더 높이 날았다.
파벨은 그것을 보고 아버지가 연 위에 그린 어린이의 얼굴이 웃는 것처럼 보였다.
연은 날아가서 아주 작게 되었다.
파벨은 아버지의 말을 기억했다.
“나는 데는 자유가 필요해. 묶여 있는 사람은 날 수 없어. 오직 자유로운 사람이 날고 그의 용기 있는 꿈을 실현할 수 있어.”

10. LA MIRAKLO

Stanko ĉiam estis en la kvartala drinkejo, ofte ebria. Tie kolektiĝis kelkaj drinkemuloj, kiuj brue vigle diskutis, kverelis kaj pro tio la posedanto de la drinkejo, oĉjo Vanko, konstante riproĉis ilin. Kiam Stanko ebriiĝis li estis agresema kaj impertinenta. Alta, magra, li ĉiam surhavis malnovajn vestojn: makulitan pantalonon, ĉemizon, kiu iam estis blanka, sed nun – grizkolora pro la malpureco. Pro la granda nigra barbo, lia vizaĝo preskaŭ ne videblis, liaj okuloj havis nebulecan koloron kaj lia ruĝa nazo montris, ke li multe drinkas.
Stanko kaj Jasen estis iamaj samklasanoj kaj najbaroj, loĝantaj en multetaĝa domo. Kiam Stanko estis lernanto, li malbone lernis, sed estis silentema kaj obeema. Post la fino de la lernejo li eklaboris en fabriko, edziĝis, havis filon kaj iel nerimarkeble li komencis drinki.
De tempo al tempo Jasen renkontis Stankon sur la strato aŭ en la ŝtuparejo de la domo. Tamen du semajnojn Jasen ne vidis Stankon. "Kio okazis al li? – demandis sin Jasen.
Foje, kiam Jasen revenis el la laborejo, li vidis Stankon, kiu paŝis kontraŭe al li sur la strato.

기적

스탄코는 항상 지역 술집에 가서 자주 취한다.
거기서 몇 명 술꾼들이 모여 소란스럽고 활기차게 말다툼하고 다투어
술집 주인 **반코** 아저씨는 그들을 꾸중했다.
스탄코는 취할 때 공격적이고 무례해진다.
키가 크고 마른 그는 항상 낡은 옷, 얼룩진 바지, 언젠가는 하얀데 지금은 더러워 회색이 된 셔츠를 입었다.
커다란 검은 수염 때문에 그의 얼굴은 거의 보이지 않고 눈은 흐리멍덩하고
붉은 코는 많이 마셨음을 보여준다.
스탄코와 **야센**은 언젠가 동창이고 고층 집에 사는 이웃이다.
스탄코는 학생일 때 공부를 잘 하지 못했지만 과묵하고 순종적이었다.
학교를 마친 뒤 그는 공장에서 일했고 결혼해서 아들을 낳고 자기도 모르는 사이에 술 마시기 시작했다.
때로 야센은 거리에서 혹은 집 계단에서
스탄코를 만났다.
그런데 2주간 야센은 스탄코를 보지 못했다.
'무슨 일이지?' 야센은 궁금했다.
한 번은 야센이 일터에서 돌아올 때 스탄코가 반대편 거리에서 걷고 있는 것을 보았다.

Nun Stanko iris malrapide kaj ne estis ebria. Jasen surpriziĝis. Stanko estis razita, sen barbo, surhavis novan helbluan pantalonon, flavan ĉemizon kaj brunan jakon.

-Saluton – Stanko malofte salutis Jasenon.

-Saluton, Stanko – respondis Jasen. – Vi aspektas tute nova homo.

-Jes – diris Stanko.

-Kio okazis?

Stanko iom silentis, kvazaŭ li hezitis respondi aŭ eble li deziris ion rememori, tamen li ekparolis:

-Mi multe drinkis – diris li. – Vi scias tion. Tamen antaŭ tri semajnoj mi revenis hejmen denove ebria. Mia filo Vladi, kiu lernas en kvina klaso, rigardis min kaj diris: "Vi denove estas ebria." Mi levis brakon por bati lin, sed en tiu ĉi momento iu forte kaptis mian brakon kaj mi ne povis movi ĝin.

Mi turnis min kaj vidis panjon. Ŝi staris malantaŭ mi, tenante mian brakon. Tamen vi scias, ke panjo mortis antaŭ tri jaroj.

Mi estis kiel ŝtonigita. Panjo staris malantaŭ mi, tenanta mian dekstran brakon kaj ne permesis al mi bati Vladin. Ŝi silentis, strabanta al mi kolere. Dum kelkaj sekundoj mi rigardis panjon. Poste ŝi subite malaperis.

지금 스탄코는 천천히 가고 있는데 술 취하지 않았다.
야센은 놀랐다.
스탄코가 면도해서 수염도 없이 밝은 새 청바지, 노란 셔츠, 갈색 점퍼를 입었다.
"안녕!" 스탄코가 먼저 야센에게 인사했다.
"안녕, 스탄코." 야센이 대답했다.
"아주 다른 사람이 된 거 같구나."
"그래?" 스탄코가 말했다.
"무슨 일 있었니?"
스탄코는 마치 대답을 망설이듯 아니면 아마 뭔가를 기억하려는 듯 조금 잠잠하더니 말을 꺼냈다.
"나는 많이 마셨어." 그가 말했다.
"너도 알잖아. 3주 전에 술에 취해 집에 다시 돌아왔어. 5학년에 다니는 내 아들 **블라드**가 나를 보더니 말했어. '아버지는 또 취하셨네요.'
나는 그를 때리려고 팔을 들었지.
그런데 그 순간 뭔가 강하게 내 팔을 잡아 움직일 수 없었어. 나는 몸을 돌려 엄마를 봤지.
엄마는 내 뒤에서 내 팔을 잡았어.
그런데 너도 알다시피 엄마는 3년 전에 돌아가셨어.
나는 돌처럼 굳었지.
엄마는 내 뒤에서 오른팔을 잡고 내가 블라드 때리기를 허락하지 않으셨어.
엄마는 화가 나서 조용히 나를 보셨지.
몇 초 동안 나는 엄마를 봤어.
나중에 엄마는 갑자기 사라졌어.

Neniu kredas, ke tio vere okazis, sed mi ne povas forgesi la koleran rigardon de panjo.
Post tiu ĉi tago dum kelkaj noktoj mi ne dormis. Mi kuŝis en la lito senmova. De tiam mi ne havas fortojn iri en la drinkejon.
Mi provis iri tien, sed kiam mi ekiris miaj kruroj tremis.[19] Jasen aŭskultis, dezirante voĉe ekridi, sed tio, kion Stanko rakontis ne estis ridinda. Ja, Stanko jam estis tute alia homo.

---

19) trem-i <自> 떨다, 덜덜떨다;(음성 따위가)떨리다;(지면 . 빛 . 나무잎 . 빛깔 등이)흔들리다;전전긍긍(戰戰兢兢)하다;스릴. tremo, tremado 떨림;전율(戰慄);목소리의 떨림, 전음(顫音);진동(振動);마음의 떨림;겁;미동(微動);미진(微震);<醫> 진전(震顫). trembrili 반짝이다, 번쩍번쩍 빛나다, 깜빡거리다. tremometro <理>미진계(微震計). tremilovo <電> 진동자(振動子). tremkanto <樂> 전음(顫音). tremfrostotremi, tremi de malvarmo 추어서 떨다, 후들후들[오들오들]떨다;전율하다. tertremo 지진(地震). tratremi 감동[감격]하다, 오싹오싹[두근두근]하다, 몸에 사무치다, 스릴을 느끼다. tratremiga 소름끼치는, 피끓게 하는, 떨리는, 스릴을 느끼게 하는.

그것이 진짜 일어났는지 아무도 믿지 않아.
하지만 나는 엄마의 화난 눈빛을 잊을 수 없어.
이날 뒤 며칠 밤잠을 이루지 못했어.
나는 침대에서 움직이지 않고 누워 있었어.
그때 이후 나는 술집에 갈 힘이 없어.
나는 거기 가려고 했는데
내가 출발할 때 내 발이 떨렸지."
야센은 소리를 내며 웃으려고 하면서 들었지만, 스탄코가 이야기한 것은 웃을만한 것은 아니었다.
정말로 스탄코는 벌써 완전히 다른 사람이었다.

11. LA ARBARO DE LA FRENEZULO

Je la rando de la vilaĝo, ĉe la ŝoseo al Pelinovo, staris malnova domo, en kiu iam loĝis avo Simo. Antaŭ kelkaj jaroj li forpasis kaj nun neniu loĝis en la domo. Simila al almozulo, ĝi staradis ĉe la ŝoseo. En la korto estis granda, alta pinarbo. Dum la jaroj la tegmento de la domo kliniĝis kaj la eta, fera balkono sur la dua etaĝo rustiĝis. Ie-tie la stukaĵo sur la muroj falis kaj videblis la ruĝaj brikoj.
La vilaĝanoj kiuj pasis sur la ŝoseo, evitis rigardi la domon, ĉar oni diris, ke en ĝi troviĝas vampiroj. Neniu sciis kiu rakontis pri la vampiroj, sed nokte en la domo aŭdeblis infana ploro kaj kiam ne videblis la luno kaj la ĉielo estis nigra kiel karbo sur la rustiĝinta fera balkono, aperis silueto kun levitaj al la firmamento brakoj.
Iun vesperon, je la fino de monato septembro, Mihail Denev, la vilaĝestro, revenis aŭte de la proksima urbo. Li ŝoforis malrapide, ĉar torente pluvis. Blindigaj fulmoj tranĉis la ĉielon kaj aŭdiĝis teruraj tondroj. Kiam Mihail proksimiĝis al la soleca domo, ŝajnis al li, ke unu el la fenestroj sur la unua etaĝo estas malfermita.

미친 사람의 숲

마을 변두리 **펠리노보로** 고속도로 주변에 **시모** 할아버지가 예전에 살았던 낡은 집 한 채가 서 있다.
몇 년 전에 그가 돌아가시고
그 집에 아무도 살지 않았다.
거지처럼 고속도로 주변에 쭉 서 있다.
마당에는 크게 높이 솟은 소나무가 있다.
수년 동안 집 위 지붕은 기울어졌고 2층 철로 된 난간은 녹이 슬었다.
벽 위 흙은 여기저기 떨어져 속의 빨간 벽돌이 비쳤다.
고속도로를 지나는 마을 사람들이 집을 쳐다보기를 피했다.
거기에 흡혈귀가 있다고 말해서.
흡혈귀에 관해 누가 이야기했는지 아무도 모르지만, 밤에 집에서 아이 울음소리가 들리고 달이 보이지 않고 하늘이 석탄처럼 검을 때 녹슨 철 난간 위에 하늘로 뻗은 팔 모양의 그림자가 나타났다.
어느 저녁 9월의 마지막에 마을 촌장 **미하일 데네브**는 차를 타고 가까운 도시에서 돌아왔다.
그는 천천히 운전했다.
폭풍우처럼 비가 내려서. 눈을 멀게 하는 번개가 하늘을 자르고 심한 천둥이 울렸다.
미하일이 한적한 집에 가까이 갈 때 1층에 있는 창문 하나가 열려 있는 것처럼 보였다.

Tie, en la ĉambro lumis, sed la lumo palis kaj Mihail opiniis, ke estas fatamorgano. Li reduktis la rapidecon de la aŭto, rigardante pli atente al la fenestro. Jes, en la ĉambro estis lumo. Mihail ne kredis, ke en la domo vagas vampiroj kaj li decidis la sekvan tagon kontroli ĉu iu loĝas en la domo.

Je la naŭa horo matene la vilaĝestro iris al la domo. Li intencis eniri ĝin kaj atente trarigardi la ĉambrojn. Mihail sciis, ke avo Simo, la forpasinta posedanto de la domo, ne havas infanojn, nek parencojn. Mihail eniris la korton kaj malrapide proksimiĝis al la domo. Li haltis antaŭ la pordo kaj atente aŭskultis. Ene ne estis bruo. Li gestis ekfrapeti ĉe la pordo, sed ĝi subite malfermiĝis kaj eliris viro, alta, korpulenta kun blanka hararo kaj ŝtalkoloraj okuloj. Mihail iom surpriziĝis kaj faris paŝon malantaŭen. La viro esploreme rigardis lin. Kelkajn sekundojn ambaŭ silentis. Mihail demandis:

-Kiu vi estas?

La viro malrapide demandis la samon:

-Kiu vi estas?

-Mi estas la vilaĝestro - respondis Mihail. - Kial vi estas en tiu ĉi domo?

그곳 방에서 빛이 새어 나왔다.
그러나 빛은 희미했다. 미하엘은 신기루라고 생각했다.
창을 더 자세히 살피면서 차의 속도를 늦추었다.
정말 방에는 빛이 있었다.
미하일은 집에 흡혈귀가 헤맨다고 믿지 않아 다음 날 집에 누가 사는지 점검하리라 다짐했다.
아침 9시에 촌장은 그 집으로 갔다.
그곳에 들어가려고 하면서 주의하여 밖을 살폈다.
이 집의 소유자이며 돌아가신 시모 할아버지는 자녀나 친척이 없는 것을 미하일은 알고 있다.
미하일은 마당으로 들어가서 천천히 집으로 가까이 다가갔다.
그는 문 앞에 멈춰 서서 조심해서 들었다.
안에는 어떤 소리도 없었다.
그는 문을 두드리는 몸짓을 했는데 갑자기 열리더니 남자가 나왔는데 키가 크고 건강하고 흰 머릿결에 강철색 눈을 가졌다.
미하일은 조금 놀라서 뒤로 주춤거렸다.
남자는 살피듯 그를 바라봤다.
잠시 두 사람은 잠잠했다.
미하엘이 물었다.
"누구십니까?"
남자는 천천히 똑같이 물었다.
"뉘십니까?"
"저는 마을 촌장입니다." 미하일이 대답했다.
"왜 이 집에 계십니까?"

-Tio vin ne rilatas! - respondis la viro, reenirante la domon. La pordo fermiĝis.
Mihail restis senmova. Kelkajn sekundojn li meditis kiel agi, tamen li decidis foriri. "Mi nepre ekscios kiu estas tiu ĉi viro, diris al si mem Mihail."
Rapide en la vilaĝ disvastiĝs la famo, ke en la domo de la vampiroj loĝas iu viro. La scivolemo igis la vilaĝanojn ekscii kiu li estas, de kie li venis kaj kial li loĝas en tiu ĉi malnova, preskaŭ ruiniĝinta domo.
La vilaĝestro komencis esplori pri la stranga viro, sed li nenion sukcesis ekscii. La viro ne similis al senhejmulo. "Certe li ne hazarde estas en la domo - diris al si mem Mihail. - Eble li estas malproksima parenco de avo Simo. Ja, nekonata viro ne povas ekloĝi en fremda domo. Li certe sciis, ke neniu loĝas ĉi tie."
Foje Mihail vidis la viron en la vilaĝ vendejo kaj denove provis alparoli lin, sed la viro eĉ ne rigardis Mihailon kaj pasis preter li. Iom post iom la vilaĝanoj ĉesis interesiĝi pri la nekonata viro, kiun ili ofte vidis en la vilaĝa vendejo aŭ paŝi sur la vilaĝa placo.
Iun tagon la viro komencis planti arbetojn sur la monteto ĉe la vilaĝo.

"그것이 촌장과 무슨 관계 있나요?" 남자는 집으로 들어가면서 대답했다. 문이 닫혔다.
미하일은 움직이지 않고 머물렀다.
몇 초 동안 어떻게 행동할지 생각하다가 그냥 가기로 마음먹었다.
'나는 반드시 이 남자가 누군지 알아낼 거야.' 미하일은 혼잣말했다.
마을에는 흡혈귀의 집에 어떤 남자가 살고 있다는 소문이 빠르게 퍼졌다.
호기심이 많은 사람에게 그가 누구인지, 어디에서 왔는지, 이 오래되고 거의 무너진 집에 왜 사는지 궁금증을 불러일으켰다.
촌장은 이상한 남자를 조사하기 시작했지만, 아무것도 알아내지 못했다. 남자는 노숙자 같지는 않다.
'분명 우연히 집에 있는 것은 아니다.' 미하일은 혼잣말했다.
'아마 그는 시모 할아버지의 먼 친척일 것이다.
정말 모르는 남자는 낯선 집에 살려고 할 수 없다.
그는 분명 여기 그 누구도 살지 않는다는 것을 알아.'
한번은 미하일이 마을 가게에서 그 남자를 보고 다시 말을 걸려고 했지만, 그는 미하일을 쳐다보기조차 않고 지나쳐갔다.
조금씩 마을 사람들은 그 모르는 남자에 관한 흥미를 잊어갔다. 그들은 그 남자를 마을 가게에서 보거나 마을 광장을 지나가는 것을 자주 보았다.
어느 날 남자는 마을 언덕에 나무를 심기 시작했다.

Li plantis pinarbetojn. Tio ege mirigis la vilaĝanojn, kiuj opiniis, ke la stranga viro plantos nur unu aŭ du arbetojn. Antaŭ kelkaj jaroj sur tiu ĉi monteto estis densa pinarbaro, sed okazis incendio[20] kaj la arbaro forbruliĝis. De tiam sur la monteto ne plu estis arboj. Nun la strangulo plantis arbojn. Tio estis tute nekomprenebla kaj stranga. "Li plantas arbojn - diris la vilaĝanoj - anstataŭ renovigi la domon, en kiu li loĝas." La vilaĝnoj ne povis klarigi al si mem tion kaj ili nomis la viron frenezulo.

Kiam la viro estis en la vilaĝa vendejo aŭ sur la vilaĝa placo, ĉiuj evitis lin kaj eĉ iom timis lin. Vidante lin oni diris:

"La frenezulo venas."

En la vilaĝ loĝs junulo, mensmalsana, kies nomo estis Gero. Ordinare li pasigis la tagojn sur la placo ĉe la vilaĝa fonto. Ĉiam kiam Gero vidis la proksimiĝantan viron, li komencis krii: "Li ne estas frenezulo. Vi ĉuj, kiuj loĝs ĉi tie estas frenezuloj." La vilaĝnoj nur ridis.

De kelkaj jaroj jam sur la monteto ĉe la vilaĝo troviĝas bela pinarbaro, kiun la vilaĝanoj nomas "La arbaro de la frenezulo".

---

20) incend-i 他> 방화(放火)하다, 화공(火攻)하다; 선동하다.
incendi-o =brulego 큰불(大火), 화재(火災); 방화(放火).

그는 소나무를 심었다.
이상한 남자가 작은 나무를 다만 한 개나 두 개 심을 것으로 생각한 마을 사람들은 아주 매우 놀랐다.
몇 년 전에 이 언덕에는 무성한 소나무 숲이 있었는데 큰불이 나서 숲이 다 불타 없어졌다.
그때부터 언덕에는 나무들이 없었다.
지금 이상한 사람이 나무들을 심었다.
그건 정말 이해할 수 없고 이상했다.
"그가 나무를 심는다. 자기가 사는 집을 수리하기 전에." 마을 사람들이 말했다.
마을 사람들은 그것이 이해가 안 가 그 남자를 미친 사람이라고 불렀다.
남자가 마을 가게나 광장에 있으면 모두 그를 피하고 조금 무서워했다.
그를 보면서 "미친놈이 온다." 라고 말했다.
마을에 이름이 **게로**라고 하는 정신이 이상한 청년이 살았다.
보통 광장에 있는 마을 우물 옆에서 하루를 지냈다.
게로가 가까이 다가오는 남자를 볼 때마다 소리를 쳤다.
"그 사람은 미친 사람이 아니다.
여기서는 당신들이 모두 미친 사람이다."
마을 사람들은 웃기만 했다.
몇 년 전부터 마을 언덕에
마을 사람들이 '미친 사람의 숲' 이라고 이름 부르는
아름다운 소나무 숲이 만들어졌다.

12. DU BILETOJ POR TEATRAĴO

Dinko, la maljuna pensiulo, ĉiun posttagmezon venis en la parkon, sidiĝis sur unu el la benkoj kaj rigardis la homojn, kiu pasis pretr li. Estis gejunuloj, studentoj, lernantoj, aŭ viroj, virinoj, kiuj certe laboris en la proksimaj oficejoj. Ili ĉiuj rapidis kaj tute ne rimarkis Dinkon, kiu por ili verŝajne similis al monumento,[21] silenta kaj senmova. Monumento, kiu bezonas nenion. Vere, post la pensiiĝo Dinko bezonis nenion, nek monon, nek renkontiĝojn kun konatoj, kiuj delonge forgesis lin. Liaj tagoj jam pasis malrapide, ligitaj unu al alia kiel longa peza fera ĉeno kaj ofte li demandis sin ĉu hodiaŭ estas marde aŭ merkrede.
Foje, kiam li silente sidis sur la benko en la parko, rigardanta la florojn en bedo, antaŭ li ekstaris junulo kaj afable salutis lin:
— Bonan tagon, sinjoro Milov.
Dinko mire alrigardis la junulon, kiu ŝajnis al li tute nekonata. "De kie li scias mian nomon - demandis sin Dinko."
— Vi ne rekonis min? - ekridetis la junulo.
— Ne - konfesis iom ĝene Dinko.
— Mi estas Vesko. La knabo, al kiu vi sen bileto permesis spekti la dimanĉajn teatrajn prezentojn.

21) monument-o 기념비(記念碑), 기념건물; 기념물, 거작(巨作).

극장 입장권 두 장

딩코는 늙은 연금 수급자였다.
매일 오후 공원에 와서 의자에 앉아 지나가는 사람들을 바라본다.
남녀 젊은이, 학생, 대학생, 그리고 분명히 근처 사무실에서 일하는 남자와 여자들이다.
그들은 서둘러 종종걸음을 쳐서 말없고 움직임 없는 조각품 같은 딩코를 전혀 알아차리지 못한다.
조각품은 아무것도 필요치 않다.
정말 은퇴한 뒤 딩코는 아무것도 필요로 하지 않는다.
돈도, 오래전에 딩코를 잊어버린 지인과 만남도 필요가 없다.
하루가 벌써 천천히 지나가 길고 무거운 철 체인처럼 연결돼 오늘이 화요일인지 수요일인지 궁금할 정도다.
언젠가 공원 의자에서 화단의 꽃을 바라보며 조용히 앉아 있을 때 젊은이가 앞에 서더니 상냥하게 인사했다.
"안녕하십니까? **밀로브** 선생님." 딩코는 놀라서 생판 처음 본 듯한 젊은이를 쳐다보았다.
'어디서 내 이름을 알았을까?' 딩코는 궁금했다.
"저를 못 알아보시겠죠?" 젊은이가 살짝 웃었다.
"잘 몰라요." 딩코가 미안해하며 솔직하게 말했다.
"저는 **베스코**입니다.
입장권 없이 일요일에 극장 공연을 보도록 허락해 주셨던 남자아이입니다."

Nun Dinko rememoris kaj antaŭ liaj okuloj aperis bildo, kiun li delonge forgesis. Antaŭ jaroj Dinko estis aktoro en la teatro. Tiam li ludis komikajn rolojn en preskaŭ ĉiuj teatraĵoj kaj same en la teatraĵoj por infanoj. Foje dimanĉe estis infana prezento. Antaŭ la enirejo de la teatro staris gepatroj kaj infanoj por eniri la salonon. Tiam estis kutimo, ke la geaktoroj bonvenigis la publikon ĉe la teatra enirejo kaj salutis la spektantojn per la vortoj: "Bonan venon kaj agrablan amuzon." Dinko estis ĉe la pordo kaj bonvenigis la gepatrojn kaj la infanojn, kiuj rapidis eniri. Kiam preskaŭ ĉiuj eniris, Dinko rimarkis, ke antaŭ la pordo staras nigrahara knabo kun grandaj malhelaj okuloj kiel olivoj.

— Kial vi ne eniras? - demandis Dinko la knabon.

— Mi ne havas bileton.

— Ĉu viaj gepatroj ne aĉetis por vi bileton?

— Ne.

— Kial?

— Miaj gepatroj ne estas ĉi tie. Ili laboras en Hispanio.

— Kaj kiu zorgas pri vi? - alrigardis Dinko la knabon.

— Mia avino.

— Ŝi certe povis aĉeti bileton kaj veni kun vi spekti la teatraĵon.

— Ŝi diras, ke ne ŝatas spekti infanajn teatraĵojn - respondis mallaŭte la knabo.

그제야 딩코의 기억엔 오래전에 잊었던 장면이 눈앞에 나타났다. 몇 년 전만 해도 딩코는 극장 배우였다.
당시 거의 모든 연극에서 웃긴 역할을 했는데 어린이 연극에서도 마찬가지였다.
가끔 일요일에 어린이 공연이 있었다. 극장 입구 앞에는 안으로 들어가려고 부모와 어린이들이 줄지어 서 있었다. 그 당시 남녀 배우들은 극장 입구에서 손님들을 맞이하면서 '환영해요! 즐거운 시간 보내세요!' 라는 말로 관객에게 인사했다.
딩코는 문 옆에서 부모와 어린이들이 서둘러 들어가도록 안내했다. 거의 모두 들어갔을 때, 딩코는 문 앞에 남자아이가 서 있는 것을 알아차렸다. 검은 머리카락에 올리브처럼 크고 어두운 눈을 가진 아이였다.
"왜 안 들어가니?" 딩코가 물었다.
"입장권이 없어요."
"부모님이 입장권을 사지 않았니?"
"안 샀어요."
"왜?"
"부모님이 여기 안 계세요. 스페인에서 일해요."
"그럼 누가 너를 돌보니?" 딩코가 남자아이를 쳐다보았다.
"할머니요."
"할머니가 분명 입장권을 살 수 있을 테니 연극을 보러 같이 와라."
"할머니께서 어린이 연극을 좋아하지 않는다고 말씀하셨어요." 남자아이가 조용히 대답했다.

— Kiel vi nomiĝas?

— Vesko.

— Bone, Vesko. Eniru kaj spektu la teatraĵon - diris Dinko kaj mane enkondukis la knabon en la salonon.

— Ĉu sen bileto? - demandis Vesko mire.

— Jes, sen bileto. Mi permesas al vi.

La grandaj olivaj okuloj de Vesko, kiuj jam naĝis en larmoj, ekbrilis pro ĝojo.

Post du semajno Vesko denove staris antaŭ la teatro kaj Dinko denove permesis al li eniri sen bileto. Tio ripetiĝis kelkfoje. Certe Vesko ege ŝatis la teatron kaj deziris spekti ĉiujn infanajn teatraĵojn.

— Vesko, vi jam estas plenkreska viro - diris Dinko. - Kion vi laboras?

— Mi estas aktoro, sinjoro Milev, kaj nun mi ludas en la sama teatro, en kiu vi iam ludis. Kelkfoje mi vidas vin ĉi tie, en la parko, kaj hodiaŭ mi decidis alparoli vin kaj doni al vi du biletojn, por vi kaj via edzino, por ĉivespera teatra prezento. Mi ĝojus, se vi venus spekti min.

— Dankon, Vesko, mi nepre venos, sed bedaŭrinde mia edzino antaŭ kelkaj jaroj forpasis, tamen mi venos kun iu amiko - diris Dinko kaj eksentis larmojn en siaj okuloj, similaj al la larmoj, kiujn li iam, antaŭ multaj jaroj, vidis en la grandaj olivaj okuloj de Vesko, kiam li staris sola ĉe la teatra pordo.

"이름이 뭐니?"
"베스코예요."
"알았다. 베스코야! 들어가서 연극을 보렴." 딩코가 말하고 손으로 극장 안으로 남자아이를 안내했다.
"입장권 없이요?" 베스코가 놀라서 물었다.
"그래, 입장권 없이. 내가 허락할게."
이미 눈물 속에서 헤엄치던 베스코의 커다란 올리브 눈은 기쁨으로 빛이 났다. 2주 뒤 베스코는 다시 극장 앞에 섰고 딩코는 또 입장권 없이 들어가도록 허락해 주었다. 그것이 몇 번 되풀이 되었다. 베스코는 연극을 아주 좋아해서 어린이 연극을 모조리 보기를 원했다.
"베스코야. 너는 이미 성인이 되었구나. 무슨 일을 하고 있니?" 딩코가 말했다.
"저는 배우예요. 밀레브 선생님. 언젠가 선생님이 활동했던 그 극장에서 지금 배우로 일합니다.
몇 번 여기 공원에서 선생님을 보았어요. 오늘 말을 걸고 선생님과 아내분을 위해 오늘 밤 연극 공연 입장권 두 장을 드리려고 마음먹었어요.
저를 보러 와 주신다면 기쁘겠습니다."
"고맙다. 베스코야. 나는 반드시 갈 거야. 하지만 유감스럽게도 내 아내는 몇 년 전에 죽었어. 그래서 내 친구와 함께 갈게."
딩코는 말하고 자기 눈에 눈물이 고이는 걸 느꼈다. 아주 오래전에 극장 문 앞에 혼자 서 있을 때 베스코의 커다란 올리브 눈에 담긴 눈물과 같이….

13. RESTORACIO "LAGUNO"

Vladimir estis feliĉa, realiĝis lia plej granda revo - havi restoracion. Kiam li estis lernanto, li laboris dum la libera tempo kiel kelnero en dolĉaĵejo. Hejme de tempo al tempo Vladimir ŝatas kuiri kaj li kuiris bongustajn manĝaĵojn.
Lia restoracio "Laguno" ne estis granda, sed bone meblita. Sur la tabloj - belaj koloraj kovriloj kaj vazoj kun freŝaj floroj. Dum la unuaj tagoj malmultaj homoj venis en la restoracion, sed Vladimir kredis, ke iom post iom la restoracio fariĝos pli fama. Vladimir faris bonegan tagmanĝan menuon, kiu enhavis supon, ĉefan pladon kaj deserton.
La oficistoj el la najbaraj oficejoj komencis tagmanĝi en la restoracio kaj tio esperigis Vladimiron, ke baldaŭ al la restoracio venos pli da homoj. De tempo al tempo venis maljunuloj, sed ili manĝis nur supon aŭ salaton. Ja, la maljunuloj ne havis sufiĉe da mono. Tio kompreneble ne plaĉis al la kelnero Ivan, ĉar li ne ricevis trinkmonon de la maljunuloj.
Foje en la restoracion eniris maljunulino, eble okdekjara, kiu aspektis inteligenta kaj kultura.

식당 라구노

블라디미르는 행복했다.
그의 가장 큰 소망인 식당을 갖는 것이 이루어졌다.
학생이었을 때 쉬는 날이면 과자 가게에서 점원으로 일했다.
때로 집에서 요리하기를 좋아하고 맛있는 먹을 것을 요리했다.
그의 식당 **라구노**는 크지 않지만 잘 꾸몄다.
탁자 위에는 예쁜 색깔의 식탁보와 신선한 꽃이 담긴 꽃병이 있다.
첫날에 적은 사람이 식당에 왔지만, 블라디미르는 식당이 조금씩 더 유명해지리라고 믿었다.
블라디미르는 국과 주요리와 후식으로 이루어진 훌륭한 점심 메뉴를 만들었다.
이웃 사무실 직원들이 식당에서 점심을 먹기 시작해서 곧 식당으로 더 많은 사람이 오리라고 기대했다.
때론 노인들도 오지만
그들은 오로지 국과 샐러드만 먹었다.
정말로 노인들은 돈이 충분하지 않다.
그것이 물론 종업원 **이반**의 마음에 들지 않았다.
노인들에게서 음료숫값을 받지 못하므로.
한 번은 식당에 할머니가 들어오셨는데
아마 여든쯤 되고 지적이며 교양있게 보였다.

Ŝi surhavis malnovan mantelon, kiu iam estis ruĝa, sed nun preskaŭ helruĝa. Ŝiaj nigraj ŝuoj estis eluzitaj, sed puraj. Eble ŝi estis instruistino, supozis Vladimir, rigardante ŝian kvietan mienon. La maljunulino eksidis ĉe tablo kaj kiam la kelnero Ivan demandis ŝin kion ŝi deziras, ŝi diris:

-Nur supon kaj pantranĉaĵon.

Ivan rapide servis al ŝi la supon. Videblis, ke la virino estis malsata, sed ŝi penis manĝi atente kaj malrapide, ĝuante la bongustan supon. Kiam ŝi finis la tagmanĝon, ŝi gestvokis Ivan por pagi. Li venis kaj la maljunulino komencis kalkuli la monerojn, kiujn ŝi elprenis el sia monujo. Dufoje ŝi kalkulis ilin. Ivan staris ĉe ŝi malpacience. La virino diris:

-Pardonu min, sed mia mono ne sufiĉas por pagi la tagmanĝon. Mi estis en la apoteko, aĉetis kuracilojn kaj mi ne bone kalkulis.

Ivan alrigardis ŝin severe. La maljunulino klinis kapon kiel infano, kiu faris grandan domaĝon. En tiu ĉi momento Vladimir proksimiĝis al ili kaj diris:

-Mi pagos la tagmanĝon de la sinjorino.

-Dankon, koran dankon – flustris ŝi. – Unuan fojon okazas tio al mi.

예전에는 빨갛지만, 지금은 낡아서 거의 바랜 오래된 외투를 입었다.
검은 신발은 다 낡았지만 깨끗했다.
조용한 태도를 보면서 블라디미르는 할머니가 아마 교사였으리라고 짐작했다.
할머니는 탁자에 앉아 종업원 이반이 무엇을 원하느냐고 물을 때 말했다.
"국과 빵을 조금만 주세요."
이반은 서둘러 국을 제공했다.
노인은 배가 고픈 것처럼 보였지만 맛있는 국을 즐기면서 자세히 그리고 천천히 먹으려고 애썼다.
점심을 마치고 값을 치르려고
이반을 부르는 몸짓을 했다.
그가 오자 할머니는 지갑에서 동전을 꺼내
계산하기 시작했다.
두 번 그것을 계산했다.
이반은 옆에서 조급했다.
할머니가 말했다. "미안해요.
점심값을 치르기에 내 돈이 부족해요.
내가 약국에 가서 약을 사느라
잘 계산하지 못했어요."
이반은 그녀를 어이가 없다는 듯 쳐다보았다.
할머니는 큰 잘못을 한 어린이처럼 고개를 숙였다.
이 순간 블라디미르는 그들에게 가까이 가서 말했다.
"제가 여사님 점심값을 낼게요."
"고마워요. 정말 감사해요. 내게 처음 있는 일입니다.

Mi estis en apoteko[22] kaj ….Mi tute ne kalkulis kaj la mono ne sufiĉas.

En ŝia voĉo kaj en ŝia rigardo estis profunda dankemo.

La virino ekstaris kaj malrapide iris al la pordo.

Vladimir rigardis ŝin.

Eble ŝi loĝas sola - supozis li.

La virino similis al lia patrino, kiu loĝis sola en alia urbo.

22) apotek-o 약국. apotek= oficino. apoteka 약국의, (식물이) 약용의.

내가 약국에 갔는데 계산을 못 해
돈이 충분하지 않네요."
그녀의 목소리와 눈빛에는 깊은 감사의 마음이 있었다.
노인은 일어나 천천히 문으로 나갔다.
블라디미르는 그녀를 보았다.
'아마 그녀는 혼자 살겠지.' 그는 짐작했다.
여자는 다른 도시에 혼자 사는 그의 어머니 같았다.

14. LA MALBONA SCIIGO

La senfina blua maro, krispigita de kvietaj ondoj, kvazaŭ flustras poemon sen komenco kaj sen fino. En tiuj ĉi trankvilaj septembraj posttagmezoj oĉjo Prodan ŝatas sidi antaŭ sia fiŝkaptista kabano kaj rigardi la maron. "Mi senfine povus rigardi la maron - ofte diris li. - Ĉiam ĝi estas malsama. Aŭ kolera kaj furioza, aŭ kvieta kiel dormanta knabino, aŭ petolema kiel nudpieda bubo, kiu kuras senzorge sur la mara bordo."
Oĉo Prodan ĝas la aŭunajn tagojn kaj la kvietan maron. Ja, sen la maro lia vivo estus enua kaj griza. La suno malrapide subiras kaj ĝiaj kupraj, orecaj briloj dancas sur la maraj ondoj.
Ĉi tie, ĉe la mara bordo, estas malgranda fiŝkaptista vilaĝo, kies kabanoj silente staras unu ĉe la alia. Antaŭ la kabanoj, ĉe la kajo, estas ligitaj la fiŝkaptistaj boatoj, kies nomoj estas neordinaraj kaj fantaziaj: "Fluganta Delfeno", "Ora Nimfo", "Kuraĝ Ŝrko", "Lazura Golfo"… En ĉu kabano estas lito, forno, tablo, ŝankoj… Somere la fiŝaptistoj loĝs ĉi tie. Frumatene, antaŭ la sunleviĝo, ili per la boatoj eniras la maron por fiŝkaptadi.

나쁜 소식

조용한 파도에 의해 물결치는 끝없이 파란 바다는 마치 시작도 없고 끝도 없이 시를 읊조리는 것 같다.
이 편안한 9월 오후에 **프로단** 아저씨는 어부의 오두막 앞에 앉아서 바다 보는 것을 좋아한다.
'나는 한없이 바다를 바라볼 수 있어.'
자주 그는 말했다.
'항상 그것들은 달라. 성내고 화내거나 자는 소녀처럼 조용하거나 걱정 없이 바닷가를 뛰어다니는 맨발의 개구쟁이처럼 장난스럽다.'
프로단 아저씨는 가을날과 조용한 바다를 즐긴다.
정말 바다 없는 그의 삶은 지루하고 잿빛이다.
해는 서서히 지고 바다의 파도 위에서 구릿빛, 황금 같은 빛이 춤을 춘다.
여기 바닷가에 작은 어부 마을이 있고 그런 오두막들은 말이 없이 서로 붙어 있다.
오두막 옆 부두에 어부들 배가 묶여 있다.
그 이름은 평범하지 않고 환상적이다.
'날아가는 돌고래. 황금요정. 용감한 상어.
하늘빛 해만.'
모든 오두막에는 침대, 난로, 탁자. 선반이 있다.
여름에 어부들은 여기서 산다.
이른 아침 해가 뜨기 전에 그들은 배를 타고 물고기를 잡으러 바다로 나간다.

Tagmeze ili revenas, la fiŝkaptistaj retoj estas plenplenaj je fiŝoj, kiujn la fiŝkaptistoj vendas al la komercistoj. Vespere ĉiuj kutimas sidi antaŭ la kabanoj, sub la palaj lumoj de la lanternoj. Ili konversacias, manĝetas, trinkas fortan hejman brandon, kiu varmigas iliajn animojn.
En la someraj vesperoj la maro kvazaŭ aŭskultas la mirindajn rakontojn de la fiŝkaptistoj. Ĉi tie, en la fiŝkaptista vilaĝo, ĉiuj estas kiel anoj de granda familio. Ili estimas unu la alian, helpas unu la alian. La fiŝkaptistoj estas aĝaj viroj, preskaŭ ĉiuj pensiuloj, sed ĉiuj amas la maron kaj ili ne povas vivi malproksime de la maro. Iuj el ili estis maristoj, la patroj de aliaj estis fiŝkaptistoj, triaj jam de la infaneco ŝatis fiŝkaptadi.
Oĉjo Prodan estas pasia fiŝkaptisto. Li estis instruisto, instruis literaturon en gimnazio, sed ĉiam, kiam li havis liberan tempon, li fiŝkaptadis. Nerimarkeble pasis la jaroj. Gergana, la filino de oĉjo Prodan, edziniĝis kaj naskis du knabojn. Anna, lia edzino, forpasis kaj nun la sola ĝojo de oĉjo Prodan estas la nepoj. La loĝejo, en kiu li kaj la familio de Gergana loĝis ne estas granda kaj oĉjo Prodan diris al la filino:
-Mi eklogôs en la kabano ĉe la maro.
-Sed paĉjo - tuj reagis Gergana.

한낮에 돌아오는데 어부들 그물에는 생선이 가득 차 상인들에게 판다.
저녁에 오두막 앞 희미한 등불 아래 어부들은 습관적으로 모두 앉아 있다.
그들은 대화하고 먹고 마음을 데워 주는 집에서 만든 강한 브랜디를 마신다.
여름날 저녁이면 바다는 마치 어부들의 놀라운 이야기를 듣는 거 같다.
여기 어부들 마을 모든 사람은 대가족의 한 식구 같다.
그들은 서로 존중하고 서로 돕는다.
어부들은 나이가 든 남자고 거의 모두 연금수급자이지만, 모두 바다를 사랑하고 바다를 멀리 떠나서는 살 수 없다.
그들 중 일부는 선원이고 다른 사람의 아버지는 어부고 다른 부류는 어릴 때부터 고기 잡는 것을 좋아했다.
프로단 아저씨는 열정이 넘치는 어부다.
그는 교사로 고등학교에서 문학을 가르쳤지만, 자유 시간이 되면 항상 고기를 잡았다.
어느새 세월이 흘렀다.
프로단 아저씨의 딸 **게르가나**는 결혼해서 두 명의 아들을 낳았다. 그의 아내 **안나**는 죽고 지금 프로단 아저씨의 유일한 기쁨은 외손자들이다.
그가 게르가나 가족과 사는 집은 크지 않아 프로단 아저씨는 딸에게 말했다.
"나는 바닷가 오두막에서 살 거야."
"하지만 아빠." 곧 게르가나가 대꾸했다.

- Mi ne permesos al vi loĝi tie. La najbaroj diros, ke mi forpelis vin.
-Ĉiuj najbaroj scias, ke mi estas pasia fiŝkaptisto. Mia plej granda deziro estas loĝi proksime al la maro.
-Tamen kiel vi loĝos tie?
-En la kabano estas lito, tablo, forno, fridujo, banejo…
Tie mi bone fartos, aŭdante la plaŭdon de la ondoj kaj flarante la odoron de fiŝoj kaj algoj.
Oĉjo Prodan ekloĝis en la kabano. Li portis tie kelkajn ŝatatajn librojn: "Milito kaj paco" de Tolstoj, "Donkiĥoto" de Cervanto, la dramojn de Ŝekspiro, kiujn li kutimis de tempo al tempo relegi. Ĉiun dimanĉon Gergana, ŝia edzo Ignat, kaj la nepoj gastis al oĉjo Prodan en la kabano. Tie ili tagmanĝis. Li kuiris bongustan fiŝosupon, fritis fiŝojn kaj faris salaton el tomatoj kaj kukumoj.
Ignat, la edzo de Gergana, kiu estis inĝeniero en la urbestrejo, de tempo al tempo venis al oĉjo Prodan kaj ili kune fiŝkaptadis. Oĉjo Prodan instruis lin plekti fiŝkaptistajn retojn kaj rakontis al li siajn rememorojn.
En ĉi-aŭtuna varmeta posttagmezo oĉjo Prodan sidis antaŭ la kabano kaj rigardis la maron.

"거기 사시도록 허락할 수 없어요.
이웃이 제가 아빠를 내쫓았다고 말할 거예요."
"모든 이웃이 내가 열렬한 어부인 것을 다 알아.
나의 가장 큰 즐거움은 바닷가에서 사는 거야."
"하지만 거기서 어떻게 사실 거예요?"
"오두막에 침대, 탁자, 난로. 냉장고. 욕실이 있어.
바다 파도 소리를 들으며 물고기와 해초 냄새를 맡으며 거기서 잘 지낼 수 있어."
프로단 아저씨는 오두막에서 살기 시작했다.
그는 그곳으로 좋아하는 책을 몇 권 가져 왔다.
톨스토이의 『전쟁과 평화』, 세르반테스의 『돈키호테』, 셰익스피어의 희곡들.
그 책을 습관적으로 때때로 계속 읽었다.
일요일마다 게르가나는 남편 **이그낫**, 자녀들과 오두막에 있는 프로단 아저씨를 찾아왔다.
거기서 그들은 점심을 먹었다.
그는 맛있는 생선구이를 요리하고 물고기를 튀기며 토마토와 오이로 샐러드를 만들었다.
게르가나의 남편 이그낫은 시청 기술직 공무원인데 때로 프로단 아저씨에게 와서 함께 낚시했다.
프로단 아저씨는 그에게 어부들의 그물 엮는 법을 가르쳐 주고 자기 기억을 이야기했다.
이번 가을에도 따뜻한 오후에 오두막 앞에 앉아 바다를 보고 있다.

La ondoj ritme lulis lian boaton "La bela Gergana". Bela estis la mara golfo, kie troviĝs la fiŝkaptista vilaĝo. Dekstre videblis rokoj, malantaŭ ili - arbaro, kiu kaŝis la golfon de la brua mondo. "Tiu ĉi estas paradiza anguleto - kutimis diri oĉjo Prodan." Li sidis kaj kvazaŭ li aŭdis mirindan kanton pri nimfo, kiu elnaĝis el la profunda maro. Iam, kiam estis juna, oĉjo Prodan provis verki poemojn, sed li konstatis, ke li ne havas talenton esti vera poeto. Sidanta, li aŭdis paŝojn. Iu venis al la kabano. Estis Ignat, la bofilo.

-Saluton - diris Ignat.

-Saluton - respondis oĉjo Prodan. - Kio okazis?

Ignat kutimis veni ĉi tien nur dimanĉe kaj hodiaŭ estis mardo. Tio maltrankviligis oĉjon Prodan.

-Ĉu ĉiuj hejme bone fartas? - demandis li. - Ĉu la infanoj estas sanaj?

-Ĉiuj hejme bone fartas - respondis Ignat, - sed mi venis diri al vi malbonan novaĵon.

-Ĉu? - rigardis lin oĉjo Prodan maltrankvile.

-Estas ordono neniigi la fiŝkaptistan vilaĝon. En la urbestrejo oni delonge planis tion, sed nun jam estas ordono de la urbestro kaj baldaŭ ĉi tie la kabanoj malaperos - diris Ignat.

파도는 리듬 있게 그의 배 **‘아름다운 게르가나’**를 흔들고 있다. 어부 마을이 있는 해만(海灣)은 멋지다.
오른쪽에는 바위가 보이고 그 뒤에는 시끄러운 세계에서 벗어나 해만에 숨겨진 숲이 있다.
‘여기가 천국의 한 모퉁이다.’ 습관적으로 프로단 아저씨는 말했다. 그는 앉아서 마치 깊은 바다에서 헤엄쳐 나온 요정에 관한 놀라운 노래를 듣는 듯했다.
언젠가 젊었을 때 프로단 아저씨는 시를 쓰려고 했지만, 진짜 시인이 될 능력이 없음을 확인했다.
앉아서 발걸음 소리를 들었다.
누가 오두막으로 왔다. 사위 이그낫이었다.
“안녕하세요.” 이그낫이 인사했다.
“안녕” 프로단 아저씨가 대답했다.
“무슨 일이니?”
이그낫은 보통 오직 일요일에만 여기에 온다.
오늘은 화요일이다.
그것이 프로단 아저씨를 불안하게 했다.
“집에 모두 잘 지내니?” 그가 물었다.
“아이들은 건강하고?”
“모두 잘 지냅니다.” 이그낫이 대답했다.
“하지만 나쁜 소식을 알리려고 왔습니다.”
“뭐?” 프로단 아저씨는 그를 걱정스럽게 바라보았다.
“어부 마을을 철거하라는 명령이 나왔어요.
시청에서 오래전부터 그 계획을 세워 이제 벌써 시장 지시가 있고 곧 여기 오두막이 철거될 거예요.”
이그낫이 말했다.

-Kial? - ne komprenis oĉjo Prodan kaj liaj bluaj okuloj iĝis malhelaj.

-Ĉi tie estos konstruita granda haveno - klarigis Ignat.

-Ĉu?

-Mi bedaŭras. Vi scias, mi estas inĝeniero en la urbestrejo,[23] sed mi ne povas kontraŭstari.

-Do, vi estas la kuriero de la malbona sciigo - alrigardis lin triste oĉjo Prodan.

-Jes, bedaŭrinde.

-Sen la maro, sen la fiŝoj mi ne povus vivi. Oni forpelos nin. Ĉi tie ĉio malaperos: la kabanoj, la boatoj, la kajo. Ni dronos en la maro - diris mallaŭte oĉjo Prodan.

Ignat rigardis la maron kaj silentis. Nenion li povis fari.

---

23) urb-o 도시(都市), 도회(都會) urbano 시민(市民), 도시사람. urbego 대도시. (ĉef)urbestro 시장(市長). urbeto 읍(邑). urbdomo, urbestrejo 시청(건물). Antaŭurbo, apudurbo, ĉirkaŭurbo, urbaj ĉrkaŭaĵoj 교외(교외), 근교(近郊);위성도시. Eksterurba 시외(市外)의. Hejmaurbo 고향(故鄕). urbmaniera,urbeca 도시풍(都市風)의. ĉefurbo수도(首都)

“왜?” 프로단 아저씨는 이해하지 못하고 파란 눈동자가 어두워졌다.
“여기에 대형 항구가 지어질 거예요.” 이그낫이 설명했다.
“정말로?”
“유감입니다. 알다시피 저는 시청 기술직 공무원이지만 반대할 수 없어요.”
“그럼, 너는 나쁜 소식의 배달부구나.” 프로단 아저씨는 슬프게 그를 바라보았다.
“예, 유감입니다.”
“바다 없이 물고기 없이 나는 살 수 없어.
사람들이 우리를 내쫓을 거야.
여기 모든 것이 없어지겠지. 오두막, 배, 부두.
우리는 바다에 빠질 거야.”
프로단 아저씨가 작은 소리로 말했다.
이그낫은 바다를 바라보고 말이 없다.
그는 아무것도 할 수 없다.

15. LA KURACISTO

Ekzistas tagoj, kiujn oni neniam forgesos. Mia edzino Rina estis graveda kaj ŝia kuracisto diris, ke ŝi naskos post tri semajnoj. Ni loĝis en la ĉefurbo, sed Rina deziris naski en la urbo Burgo, kie loĝis ŝiaj gepatroj.

-Mi naskos en Burgo - diris Rina, - ĉar post la nasko panjo helpos min prizorgi la bebon.

Tiam mi estis studento kaj mi opiniis, ke ne gravas en kiu urbo Rina naskos. Ni ekveturis per vagonaro al Burgo, ĉar Rina diris, ke por ŝi la veturado per la vagonaro estos pli oportuna kaj pli bona.

La junia tago ne estis tre varma kaj mi certis, ke la veturado estos agrabla. En la kupeo sidis kvin personoj: Rina kaj mi, viro, kiu eble estis tridekkvinjara, knabino - ĉirkaŭ deknaŭjara kaj dudekjara junulo.

La vagonaro veturis tra vasta verda kampo kaj mi rigardis la vidindaĵojn. Rina sidis ĉe mi, tuŝanta mane sian grandan ventron. Ŝi silentis kaj verŝajne enuis. La vagonaro haltis ĉe la stacidomo de la urbo Filipopolis kaj dek minutojn poste ĝi denove ekveturis al la sekva stacidomo - la urbo Stara Zara.

의사

우리가 결코 잊을 수 없는 날이 있다.
내 아내 **리나**는 임신한 상태인데, 의사는 3주 뒤에 아이를 낳을 것이라고 말했다.
우리는 수도에 살았지만, 리나는 자기 부모님이 사는 **부르고** 시에서 아이를 낳기 원했다.
"나는 부르고에서 낳을 거야." 리나가 말했다.
"아이를 낳은 뒤 엄마가 아이 돌보는 것을 도와주실 테니까."
그때 난 학생이라 리나가 어느 도시에서 애를 낳든 중요하지 않다고 생각했다.
우리는 기차를 타고 부르고로 갔다. 리나가 기차로 여행하는 것이 더 편리하고 좋다고 말해서.
6월의 낮은 그렇게 덥지는 않아서 여행은 편안하리라고 확신했다.
열차 내 객실에는 다섯 명이 앉아 있다.
리나와 나, 아마 서른다섯 살의 남자, 아마 열아홉 살이나 스무 살 먹은 아가씨 둘.
기차는 넓고 푸른 들판을 가로질러 가고 나는 차창 밖으로 볼거리를 바라보았다.
리나는 내 옆에 앉아서 손으로 자기의 커다란 배를 만지고 있다.
그녀는 말이 없고 지루한 듯 보였다.
기차가 **필리포폴리스** 마을 기차역에서 멈추고 10분 뒤 다시 **스타라가라** 마을인 다음 기차역으로 출발했다.

Subite Rina ekkris. Mi saltis.

-Kio okazas? - demandis mi maltrankvila.

-Mi naskos - ekĝemis Rina.

Mi stuporis.

-Ja, la kuracisto diris, ke vi naskos post tri semajnoj···

-Jes, tamen···

Mi rigardis ŝn, sed pro timo kaj teruro eĉ sonon mi ne povis prononci.

-Kion ni faru?

Mi pretis tuj haltigi la vagonaron, kiu nun veturis tra arbaro. Rina jam plorĝemis. La viro, kiu sidis kontraŭ ni, alrigardis Rinan kaj diris:

-Trankvile. Mi estas kuracisto. Mi helpos vin.

Mi staris senmova. La viro estis tute nekonata. Mi ne sciis ĉu li vere estas kuracisto. Sed Rina ekflustris:

-Mi petas vin, sinjoro···

La viro ekstaris kaj ordonis:

-Ĉiuj iru el la kupeo!

Li turnis sin al mi kaj aldonis:

-Vi restu, sed pli bone iru al la estro de la vagonaro kaj diru al li telefoni al la stacidomo en Stara Zara kaj oni voku ambulancon.

La viro prenis el sia valizo kolonjan akvon kaj lavis siajn manojn.

갑자기 리나가 소리를 쳤다. 나는 벌떡 뛰었다.
"무슨 일이야?" 나는 불안해서 물었다.
"아기가 나오려고 해." 리나가 한숨을 쉬었다.
나는 정신이 멍해졌다.
"정말? 의사가 3주 뒤에나 아이를 낳을 것이라고 말했는데." "그래, 하지만."
나는 그녀를 바라보았지만 놀라움과 두려워서 어떤 소리조차 입으로 낼 수 없었다.
"무엇을 하지?"
나는 숲을 지나가고 있는 기차를 곧 세우려고 준비했다. 리나는 벌써 고통스럽게 숨을 쉬었다.
우리 건너편에 앉아 있던 남자가
리나를 바라보더니 말했다.
"안심하세요. 내가 의사입니다. 내가 도와 드릴게요."
나는 서서 움직이지 않았다.
남자는 전혀 모르는 사람이다.
그가 진짜 의사인지 나는 모른다.
그러나 리나는 작게 속삭였다. "도와주세요, 선생님."
남자는 일어서더니 지시했다.
"모두 객실에서 나가세요."
그는 내게 몸을 돌리고 덧붙였다.
"남편은 여기 있어요. 하지만 기차 책임자에게 가는 것이 더 낫죠. 그에게 스타라자라 기차역에 전화해서 구급차를 부르라고 말하세요."
남자는 자기 가방에서 화장수(化粧水)를 꺼내 자기 손을 소독했다.

Poste li elprenis ĉemizon kaj disŝiris ĝin. Mi rapide eliris serĉi la estron de la vagonaro. Kiam mi revenis, mi ekstaris ĉe la pordo de la kupeo. Ene Rina kriis kaj mia koro kvazaŭ disŝiriĝis. Mi pene spiris. Kiom da tempo daŭris la nasko mi ne memoras. Ŝajnis al mi, ke ĝi neniam finiĝos.
Subite la pordo de la kupeo malfermiĝis. Eliris la viro kaj diris:
-Vi havas filon.
Mi eniris la kupeon. Rina kuŝis, brakumante nian filon, vinditan en la ĉemizo de la viro.
La vagonaro haltis en la stacidomo de Stara Zara. La ambulanca aŭto atendis nin. Rina, la bebo kaj mi eniris la aŭton kaj ekveturis al la urba malsanulejo. Dum la paniko mi ne sukcesis demandi la viron kio estas lia nomo kaj en kiu malsanulejo li estas kuracisto.
De tiam pasis multaj jaroj. Mia filo jam estas granda knabo, sed mi ne ĉesas serĉi la kuraciston, kiu helpis Rinan naski. Mi deziras nepre trovi lin kaj danki al li. Ja, mi bone memoras lin. Li estis alta, nigrahara kun okuloj kiel olivoj. Mi daŭre serĉas lin kaj mi vere esperas, ke mi trovos lin.

나중에 그는 셔츠를 집어 들고 그것을 찢었다.
나는 기차 책임자를 찾으러 서둘러 나갔다.
내가 돌아왔을 때 나는 객실 문 옆에 섰다.
안에서 리나는 소리치고 내 마음은 찢어지는 것 같았다. 나는 겨우 숨을 쉬었다.
아이를 낳는데 얼마나 시간이 지났는지 나는 기억하지 못한다. 그것은 절대 끝나지 않을 것처럼 내게 보였다.
갑자기 객실 문이 열렸다.
남자가 나와서 말했다. “아들을 낳았어요.”
나는 객실 안으로 들어갔다.
리나가 남자의 셔츠 안에 둘러싸인 우리 아들을 팔로 안고서 누워 있다.
기차는 스타라자라 역에 섰다.
구급차가 우리를 기다렸다.
리나와 아이 그리고 나는 차에 타고 시립병원으로 갔다.
이런 혼란 상황에서 나는 남자 이름이 무엇인지 어느 병원에서 의사로 있는지 물어보지 못했다.
그날 이후 많은 세월이 지났다.
우리 아들은 벌써 커다란 남자애가 되었지만,
그날 리나가 애기를 낳도록 도와준 의사 찾는 것을
멈추지 않았다.
나는 꼭 그를 찾아 감사하다고 말하고 싶었다.
정말 나는 그를 잘 기억하고 있다. 그
남자는 키가 크고 올리브 같은 눈에 머릿결은 검었다.
나는 계속해서 그를 찾고 꼭 만나기를 정말로 바란다.

16. LA KURAĜA OĈJO DIMO

La eta domo de oĉjo Dimo havis la koloron de matura persiko kaj ĝia ruĝa tegmento similis al granda birda flugilo.
Sub la tegmento estis eta balkono sur kiu videblis potoj kun belegaj floroj.
En la vasta korto de la domo kreskis kelkaj fruktarboj.
La domo estis sur la mara bordo je cent metroj de la oreca, mola sablo. Tiun ĉi grundon oĉjo Dimo heredis de sia patro.
Oĉjo Dimo mem konstruis la belan domon. Antaŭe li loĝis en la ĉefurbo, li estis kontisto, sed kiam li fariĝis pensiulo, li venis loĝi ĉi tie, ĉe la maro, kie li bonege fartis, zorgis pri la fruktarboj kaj ĝuis la maran vidindaĵon. Tamen neatendite super la domo aperis nigraj nuboj.
Iun matenon je la deka horo en la korton eniris du junuloj. Oĉjo Dimo rimarkis, ke antaŭ la domo estas granda luksa aŭtomobilo "Mercedeso". La junuloj demandis lin:
-Ĉu vi estas posedanto de la domo?
-Jes - respondis oĉjo Dimo.
-Vi estas tre bonŝanca persono - diris unu el la junuloj.

용기 있는 디모 아저씨

디모 아저씨의 작은 집은 잘 익은 복숭아색이다.
붉은 지붕은 커다란 새의 날개 같다.
지붕 아래 작은 난간이 있어 그 위에 아주 예쁜 꽃들이 들어있는 화분을 볼 수 있다.
집의 넓은 마당에는 과일나무 몇 그루가 자라고 있다.
집은 황금 같고 부드러운 모래에서 백 미터 떨어진 바닷가에 있다.
이 땅을 디모 아저씨는 부모에게 물려받았다.
디모 아저씨 혼자 예쁜 집을 지었다.
전에 그는 수도(首都)에 살고 회계사였지만,
연금수급자가 되자 바닷가 여기서 살려고 왔다.
여기서 그는 잘 지내고 과일나무를 돌보고
바다 경치를 즐겼다.
그러나 예기치 않게 집 위로 검은 구름이 나타났다.
어느 날 아침 10시에 마당으로 두 젊은이가 왔다.
디모 아저씨는 집 앞에
커다랗고 값비싼 메르세데츠 차가
있는 것을 알아차렸다.
젊은이들이 그에게 물었다.
"이 집 주인 되십니까?"
"그래요." 디모 아저씨가 대답했다.
"아주 운이 좋으시군요." 젊은이 하나가 말했다.

-Kial?

-Vi estos ege riĉa, milionulo - aldonis la alia junulo.

-Kiel - ne komprenis oĉjo Dimo.

-Ni aĉetos vian domon. Ni pagos grandegan monsumon kaj ĉi tie ni konstruos grandan, modernan hotelon.

Oĉjo Dimo tute ne komprenis kion diras la junulo.

"Certe la junulo estas malsana aŭebria - supozis li."

-Jes. Vi vendos la domon al ni kaj vi havos multe da mono - klarigis la pli aĝa junulo.

-Krome, kiam la hotelo estos finkonstruita, vi havos en ĝi kelkajn ĉambrojn, kiujn vi povus ludoni al ripozantoj ĉe la maro kaj oni bone pagos al vi.

Tiuj ĉi vortoj forte kolerigis oĉjon Dimo kaj li firme diris:

-Mi ne intencas vendi la domon.

-Ne rapidu! Ni ankoraŭ ne ĉion diris.

Tamen oĉjo Dimo turnis sin kaj eniris la domon.

Post du tagoj la junuloj denove venis. Nun ili portis kontrakton, en kiu estis skribita grandega monsumo por la aĉeto de la domo.

"왜요?"
"아주 부자, 백만장자가 되실 겁니다." 다른 젊은이가 덧붙였다.
"어떻게?"
디모 아저씨는 이해하지 못했다.
"우리가 집을 사겠습니다. 돈을 많이 드리고 여기에 크고 현대식 호텔을 지을 겁니다."
디모 아저씨는 젊은이가 무엇을 말하는지 전혀 이해하지 못했다.
'분명 젊은이가 아프거나 술 취했구나.'
그는 짐작했다.
"예. 우리에게 집을 파십시오.
많은 돈을 가질 것입니다."
더 나이 든 젊은이가 설명했다.
"게다가 호텔이 완공되면 거기 객실을 몇 개 가지고 있어 바다에 오는 휴양객에게 빌려주고 돈을 잘 벌 수 있습니다."
이 말이 디모 아저씨를 아주 화나게 해서
그는 단호하게 말했다.
"나는 집을 팔 생각이 없소."
"서두르지 마십시오.
아직 다 말하지 않았습니다."
하지만 디모 아저씨는 몸을 돌리고 집으로 들어갔다.
이틀 뒤 젊은이들이 다시 왔다.
지금 그들은 집을 사는데 많은 액수를 적은 계약서를 가지고 왔다.

-Mi diris - ripetis oĉjo Dimo - ke mi ne vendos la domon!
Post semajno la junuloj venis denove.
-Jen - diris ili. - Ĉi tie vi loĝas sola. Proksime ne estas vendejo. Por aĉeti panon vi devas piediri du kilometrojn. Kiam ni konstruos la hotelon ĉi tie estos granda vendejo, kafejo, restoracio.
Tamen oĉjo Dimo ne plu aŭskultis ilin. Kiam la filo de oĉjo Dimo eksciis pri la junuloj, li tuj venis de la ĉefurbo kaj diris:
-Paĉjo, tio estas serioza kaj danĝera afero. La junuloj ne ŝercas. Venu loĝi ĉe ni en la ĉefurbo
-Mi loĝos ĉi tie! - deklaris oĉjo Dimo. - La grundo estis de mia patro. Mi mem konstruis tiun ĉi domon kaj neniu igos min vendi ĝin.
La filo forveturis kaj oĉjo Dimo denove restis sola en la domo. Tamen iun nokton okazis incendio. La domo brulis.
Oĉjo Dimo sukcesis savi sin, sed de la domo restis nenio. Dum la domo brulis, oĉjo Dimo kriis:
-Vi ne timigos min! Mi konstruos ĉi tie novan domon, pli grandan kaj pli belan.

디모 아저씨는 되풀이했다.
“내가 집을 팔지 않겠다고 말했지요.”
일주일 뒤 젊은이들이 또 왔다.
그들이 말했다. “여기 혼자 이곳에서 살고 계세요.
가까이에 가게도 없습니다. 빵을 사려고 2㎞ 걸어가야만 합니다. 우리가 여기 호텔을 짓게 되면 커다란 가게, 카페, 식당이 생깁니다.”
하지만 디모 아저씨는 더 듣지 않았다.
디모 아저씨 아들이 젊은이들에 관해서 알고 수도에서 즉시 와서 말했다.
“아빠, 그것은 신중하고 위험한 일입니다.
젊은이들은 농담하지 않습니다.
수도에 있는 우리랑 같이 살게 오십시오.”
“나는 여기에서 살 거야.” 디모 아저씨는 선언했다.
“이 땅은 우리 아버지의 것이야.
내가 혼자 이 집을 지었고, 그 누구도 이것을 팔라고 할 수 없어.”
아들은 멀리 떠나고 디모 아저씨는 다시 집에 혼자 남았다.
하지만 어느 밤에 큰 화재가 발생했다.
집이 다 탔다.
디모 아저씨는 살아남았지만
집은 아무것도 남지 않았다.
집이 타는 동안 디모 아저씨는 소리쳤다.
“너희는 나를 두렵게 할 수 없어.
나는 여기에 더 크고 더 예쁜 새집을 지을 거야.”

17. LA SEKRETO

Ĉio komenciĝis en fora aŭtuno. Mi estis lernantino, dekokjara. Miaj amikinoj Milena, Nadja kaj mi iris en la novan kafejon "Vieno", kiu estis ekster la urbo, en parko ĉ la maro.
Oni diris, ke la kafejo estas bela, moderna.
Ni triope renkontiĝis dimanĉe je la kvina horo posttagmeze en la ĝardeno ĉe la stacidomo. Mi iris tien pli frue.
Estis suna, septembra tago. La kaŝtanaj arboj similis al altaj gvardianoj en verdaj uniformoj. Mi eksidis sur benko, rigardante la krizantemojn en la ĝardeno. La ĉielo helbluis, sennuba kiel grandega spegulo. Estis dimanĉa tago, mi ne devis esti en la lernejo kaj mi povis amuziĝi. Dekokjara mi deziris aspekti pli aĝa. Antaŭ ol eliri la domon, mi ŝminkis min. Plaĉis al mi, ke la knaboj jam amindumas min. Ja, miaj okuloj estas helverdaj, mia hararo - kaŝtankolora, mia korpo - svelta. Mi estis sportistino - naĝis, partoprenis en konkuroj, ricevis medalojn.
Milena kaj Nadja venis, ni ekveturis per buso kaj post dudek minutoj ni estis en la parko, kie troviĝis la kafejo, vasta, hela kun separeoj, dancejo kaj fortepiano.

비밀

모든 일이 오래전 가을에 시작됐다.
나는 18살의 여학생이었다.
내 친구 **밀레나**, **나댜**와 나는 도시 외곽 바다 옆 공원에 있는 새로운 카페 **'빈'**에 갔다.
카페가 예쁘고 현대식이라고 사람들이 말했다.
우리 셋은 기차역에 있는 정원에서 일요일 오후 5시에 만났다.
나는 그곳에 조금 더 빨리 갔다.
해가 비치는 9월의 한낮이었다.
밤나무는 푸른 제복을 입은 키 큰 호위 대원 같았다.
나는 긴 의자에 앉아 정원에 있는 국화를 바라보았다.
하늘은 맑게 파랗고 커다란 거울같이 구름도 없었다.
일요일 낮이라 학교에 가지 않아도 되고 즐길 수 있다.
18살인 나는 더 나이 들어 보이고 싶었다.
집을 나서기 전에 화장했다.
남자애들이 나를 사귀려고 하는 것이 마음에 든다.
정말 내 눈은 밝은 푸른색이고 내 머릿결은 밤색이고, 내 몸은 날씬하다.
나는 운동선수로 수영대회에 참가해 상을 받았다.
밀레나와 나댜가 와서 우리는 버스를 타고 가서 20분 뒤 공원에 도착했다.
거기에는 칸막이 방이 있고, 밝고 넓은 카페, 무도장과 피아노가 있었다.
사람은 많지 않았다.

Ne estis multaj homoj. Ni sidis ĉe tablo, proksime al la fenestro, tra kiu videblis la maro. Ni decidis trinki kafon kaj viskion. La kelnero, juna kaj memfida, rapide alportis la trinkaĵojn kaj li ne forgesis demandi nin kiom aĝaj ni estas. Kompreneble ni mensogis al li, dirante, ke ni estas dudekjaraĝaj. Ni gaje konversaciis kaj rigardis ĉu en la kafejo estas knaboj, kiuj altirus nian atenton.

Mi rigardis al la pordo kaj mi konsterniĝis. La kafejon eniris mia patro kun dudekjara junulino. Paĉjo surhavis elegantan, bluan kostumon. La junulino estis vestita en ruĝa robo, tre mallonga, kaj ŝiaj belaj kruroj bone videblis. Ŝi havis blondan hararon kaj bluajn okulojn, similajn al vitraj globetoj.

Mi sidis muta kaj senmova kiel ŝtono. Paĉjo ne rimarkis min.

Li estis tute obsedita de la blondulino. Mi meditis maltrankvile.

Hieraŭ paĉjo diris, ke li veturos ofice al la ĉefurbo kaj li revenos post du tagoj. Tamen nun li estis en la kafejo "Vieno".

Li kaj la juna blondulino sidis en malproksima separeo. Milena kaj Nadja ne konis mian patron kaj ili ne rimarkis mian maltrankvilon.

우리는 바다가 보이는 창가 탁자에 앉았다.
우리는 커피와 위스키를 마시기로 마음먹었다.
젊고 늠름한 종업원이 마실 것을 재빨리 가져오면서
우리가 몇 살인지 묻는 것을 잊지 않았다.
물론 우리는 20살이라고 말하면서 그에게 거짓말을 했다.
우리는 즐겁게 대화하고, 카페에 우리 시선을 끌 남자애가 있는지 살폈다.
나는 문을 바라보다가 깜짝 놀랐다.
카페 안으로 우리 아버지가 스무 살쯤 되는 아가씨랑 들어왔다. 아빠는 우아하고 파란 정장을 입었다.
아가씨는 아주 짧은 빨간 옷을 입어
예쁜 다리가 잘 보였다.
그녀는 금발 머리에
유리 전구를 닮은 파란 눈을 가졌다.
나는 말 없이 앉아 돌처럼 움직이지 못했다.
아빠는 나를 알아차리지 못했다.
아빠는 금발의 여자에게 완전히 빠져 있었다.
나는 불안해서 깊이 생각했다.
어제 아빠는 일로 수도에 가서
이틀 뒤 돌아온다고 말했다.
하지만 지금 아빠는 카페 빈에 있다.
그와 젊은 금발의 여자는
멀리 떨어져 있는 칸막이 방에 있다.
밀레나와 나댜는 우리 아버지를 알지 못하고
나의 불안을 알아차리지 못했다.

Mi diris al ili, ke mi malbone fartas kaj rapide mi foriris.
En mia kapo furiozis ŝtormo. Mi ne deziris kredi, ke mi vidis paĉjon kun la nekonata blondulino.[24)]
Ja, li diris, ke li oficveturos. Li mensogis. Ĝis nun mi opiniis, ke paĉjo neniam mensogas. Li estis la plej zorgema, la plej bona patro en la mondo. Neniam mi supozis, ke li havas amatinon. Ja, li amas panjon. Kio okazis? Mi estis kolerega. Ĉu mia patro estas hipokritulo? Nun li surhavis elegantan, bluan kostumon; tamen hieraŭ, kiam li forveturis, li surhavis brunan kostumon. Ĉu ie estas loĝejo, en kiu estas aliaj liaj vestoj? Mi fariĝis pli kaj pli kolera. Mi deziris reveni en la kafejon kaj vangofrapi la blondulinon. Tamen, kiun mi vangofrapu unue - ĉu paĉjon aŭ la blondulinon? Eble paĉjo delonge mensogas al panjo kaj mi. Estis klare, ke li tre bone konas la blondulinon kaj ofte ili estas kune. Mi deziris reiri kaj starante antaŭ paĉjo diri al li la plej ofendajn vortojn, kiujn mi sciis.
La ŝtormo en mia kapo ne ĉesis. Miaj okuloj larmis.

---

24) blond-a 금발(金髮)의, (머리털이) 엷은 갈색의; 피부가 희고 혈색이 좋은; 백안금발벽안(白顔金髮碧眼)의

나는 그들에게 몸이 좋지 않아서 빨리 가겠다고 말했다. 내 머릿속에는 폭풍우가 요동쳤다.
나는 아빠가 낯선 금발의 여자와 함께 있는 것을 보았다고 믿고 싶지 않았다.
정말로 아빠는 일 때문에 출장 간다고 말했다.
아빠가 거짓말을 한 것이다. 지금까지 나는 아빠가 절대 거짓말하지 않는다고 생각했다.
그는 정말 가정을 잘 돌보고 세상에서 가장 좋은 아버지였다.
그가 애인이 있으리라고 전혀 짐작조차 못 했다.
정말 아빠는 엄마를 사랑했다.
무슨 일일까? 나는 몹시 화가 났다.
나의 아버지가 위선자인가?
지금 그는 우아하고 파란 정장을 입었지만, 어제 그가 출발했을 때는 갈색 정장을 입었다.
어딘가에 그의 다른 옷이 있는 집이 있는가?
나는 점점 화가 났다.
나는 카페로 돌아가 금발 여자의 뺨을 때리고 싶었다.
하지만 내가 누구의 뺨을 때려야 하나?
먼저 아빠인가 금발의 여자인가?
아마 아빠는 오랫동안 엄마와 나에게 거짓말했을 것이다. 그는 금발의 여자를 아주 잘 알고 자주 함께 있었음이 분명했다.
나는 돌아가서 아빠 앞에 서서 내가 아는 가장 상처 주는 말을 하고 싶었다. 내 머릿속에서 폭풍우가 멈추지 않았다. 내 눈에서는 눈물이 났다.

Ĉu paĉjo vere amas panjon? Aŭ eble li ludas teatraĵon, montrante, ke li amas panjon kaj min? Mia povra panjo eĉ ne supozas, ke paĉjo havas amatinon.
Ja, panjo penas, agas, por ke ĉio hejme estu en ordo. Ŝi laboras, kuiras, zorgas pri ni.
Mi iris kaj mi demandis min ĉu mi diru al panjo kion mi vidis? Nerimarkeble mi atingis la marbordon kaj mi paŝis sur la sablon. La ondoj plaŭdis. Mi rigardis la senliman maron, meditante, ke la vivo estas terura kaj aĉa.
Mi diros ĉion al panjo! Ŝi devas scii! Tamen tuj mi decidis nenion diri al ŝi. Mi diros al paĉjo, ke mi vidis lin en la kafejo. Mi hezitis. Al kiu mi diru, ĉu al panjo aŭ al paĉjo? Mi ne deziris, ke miaj gepatroj divorcu. Ni daŭrigu vivi triope kiel ĝis nun. Mi ploris, miaj larmoj, salaj kiel la maro, fluis sur mian vizaĝon. Kiel panjo reagos, se ŝi ekscius, ke paĉjo havas amatinon?
Mi revenis hejme. Mi diris nenion nek al panjo, nek al paĉjo. Mi demandis min kiu estas la blonda junulino kaj de kiam ŝi estas la amatino de paĉjo. Tamen neniam mi eksciis kiu ŝi estas. Panjo kaj paĉjo ne divorcis. Post tiom da jaroj mi ne certas ĉu mi bone agis aŭ mi eraris? Mi ne scias. Ĉu la blondulino amis paĉjon?

아빠가 정말 엄마를 사랑하나? 아니면 아빠가 엄마와 나를 사랑한다고 표현하면서 아마 연극을 하고 있는가? 나의 불쌍한 엄마는 아빠에게 애인이 있는 것을 짐작조차 못 한다. 정말로 엄마는 집에서 모든 일이 잘되도록 애쓰고 노력한다. 그녀는 일하고 요리하고 우리를 돌본다. 나는 가면서 엄마에게 내가 본 것을 말해야 할지 궁금했다.

어느새 바닷가에 도착해서 모래 위를 걸어갔다.

파도가 철썩 소리를 냈다. 인생이 잔인하고 하찮다고 생각하면서 끝없는 바다를 바라보았다.

나는 엄마에게 모든 것을 말할 거야. 그녀는 알아야만 해. 하지만 곧 나는 그녀에게 아무 말을 하지 않으리라고 결심했다.

나는 아빠에게 카페에서 보았다고 말할 것이다. 나는 망설였다. 누구에게 말할까? 엄마에게 아니면 아빠에게. 난 우리 부모님이 이혼하기를 원하지 않는다.

지금처럼 셋이 살기를 계속해야 해. 나는 울었다.

바다처럼 짠 내 눈물이 뺨 위로 흘렀다.

아빠가 애인이 있다는 것을 엄마가 안다면 어떻게 반응할까? 나는 집으로 돌아왔다.

나는 엄마에게도 아빠에게도 아무 말 하지 않았다.

나는 금발의 아가씨가 누군지 언제부터 아빠의 애인이었는지 궁금했다. 하지만 그녀가 누구인지 결코 알지 못했다. 엄마와 아빠는 이혼하지 않았다. 많은 세월이 지난 뒤 내가 잘 행동했는지 실수했는지 확신하지 못한다. 나는 모른다. 금발의 여자가 아빠를 사랑했는가?

18. LA HIRUNDOJ

-Multe da hirundoj kaj multe da hirundaj nestoj estas en via korto! - ofte diris onjo Kera. - Kial en mia korto ne nestas hirundoj?
Mia avino silentis kaj nenion diris al ŝi. Mi rigardis la hirundojn kaj mi same miris kial en nia korto estas tiom da hirundoj. La domo de onjo Kera, nia najbarino, estis granda, bela, sed en ŝia korto ne videblis hirundoj.
Onjo Kera, kiu estis fratino de mia avino, loĝis sola kaj mi ne sciis ĉu ŝi havas edzon aŭ ne. Ŝi havis filinon, Donka, kiu loĝis en alia vilaĝo kaj nur de tempo al tempo Donka venis al onjo Kera.
Foje en la korto de onjo Kera mi vidis nekonatan viron.
Li estis alta, magra kun tondita nigra hararo, kiu ie-tie blankiĝis. Lia sulkigita vizaĝo havis strangan grizan koloron.
La viro estis vestita en blua ĉemizo, en bruna pantalono. Li sidis sur seĝo sub la ĉerizarbo. Mi estis knabo, ankoraŭ mi ne frekventis lernejon kaj tiu ĉi stranga viro iom timigis min.
Post du tagoj onjo Kera kaj la viro venis gasti ĉe ni.
Mia avino bakis kukon kaj kuiris kafon.

제비들

“많은 제비와 많은 제비집이 언니집 마당에 있어요.”
케라 아주머니가 자주 말했다.
“왜 나의 마당에는 제비집이 없을까?”
우리 할머니는 조용히 아주 말이 없었다.
나는 제비를 쳐다보고 똑같이 왜 우리 마당에 그토록 제비가 많은지 놀랐다.
우리 이웃인 케라 아주머니 집은 크고 예쁘지만, 마당에 제비가 보이지 않았다.
케라 아주머니는 우리 할머니 동생이고 혼자 산다.
나는 그녀가 남편이 있었는지 없었는지 모른다.
그녀의 딸 **돈카**는 다른 마을에 살며 오직 때때로 케라 아주머니에게 왔다.
한번은 케라 아주머니의 마당에서 나는 모르는 남자를 보았다.
그는 키가 크고 마르고 검은 머리카락은 가위로 다듬었는데 여기저기가 하얗게 되었다.
그의 주름진 얼굴은 이상한 회색빛이었다.
남자는 파란 셔츠에 갈색 바지를 입었다.
그는 체리 나무 아래 의자에 앉아 있었다.
나는 남자아이고 아직 학교에 다니지 않아, 이 이상한 남자가 조금 무서웠다.
이틀 뒤 케라 아주머니와 남자는 우리 집에 손님으로 왔다.
우리 할머니는 과자를 굽고 커피를 끓였다.

Onjo Kera kaj la viro aspektis tristaj. Ili sidis ĉe la tablo en nia eta ĉambro kaj ne konversaciis. Mia avino demandis la viron:
-Gono, kiel vi fartas?
Li alrigardis ŝin kaj kvazaŭ li vekiĝus de profunda sonĝo, malrapide li respondis: -Malbone mi fartas. Ŝajne peza ŝtono estas en mia brusto.
-Ĉu vi devas reveni tien? - demandis avinjo.
-Li estos en la malsanulejo, en la urbo - anstataŭ lin respondis onjo Kera. - Tie oni kuracos lin.
Kiam onjo Kera kaj la viro ekstaris por foriri, onjo Kera levis kapon kaj denove diris:
-Multe da hirundoj estas en via korto!
Kiu estas tiu ĉi viro - demandis mi min?
Vespere mi subaŭskultis konversacion de avinjo kaj panjo. Panjo demandis:
-Ĉu oni liberigis Gonon el la malliberejo?
Avinjo respondis:
-Li estas ege malsana kaj oni kuracos lin en la urba malsanulejo.
Mi ne komprenis kio estas malliberejo, sed mi ne kuraĝis iun demandi.
Kiam ni, la knaboj el la kvartalo, ludis, mi vidis Gonon iri sur la strato, tiam iu el la knaboj diris:
-Jen la malliberulo.

케라 아주머니와 그 남자는 슬프게 보였다.
그들은 우리 작은 방에서 탁자 옆에 앉아 있었다.
대화도 하지 않았다.
우리 할머니가 남자에게 물었다.
"**고노**, 어떻게 지냈어요?"
그는 할머니를 보더니 깊은 잠에서 깬 것처럼 천천히 대답했다.
"잘 지내지 못했어요. 무거운 돌이 제 가슴에 있는 듯 해요."
"거기로 돌아가야만 하나요?" 할머니가 물었다.
"그는 도시에 있는 병원에 있을 거예요." 그를 대신해서 케라 아주머니가 대답했다.
"거기서 그를 치료할 거예요."
케라 아주머니와 남자가 떠나려고 일어설 때 케라 아주머니가 고개를 들고 다시 말했다.
"많은 제비가 이 마당에 있네요."
이 남자는 누구일까 나는 궁금했다.
저녁에 나는 할머니와 엄마의 대화를 몰래 들었다.
엄마가 물었다. "감옥에서 고노 아저씨가 나왔어요?"
할머니가 대답했다. "그가 매우 아파서 시립병원에서 치료 할 거야."
나는 감옥이 무엇인지 알지 못했지만, 감히 어떤 질문도 하지 못했다.
우리 지역의 남자아이들이 놀 때 나는 고노 아저씨가 길거리를 지나가는 것을 보았는데 그때 남자아이 중 하나가 말했다. "저기 죄수가 있다."

Poste Mitko, kiu estis pli aĝa ol mi, diris:

-Li murdis viron.

-Ĉu? - mi time alrigardis Mitko.

-Jes.

-Kiam?

-Antaŭ longe. Li estis en la drinkejo, ebria. Oĉjo Vano diris, ke li deziras nur dum unu nokto tranokti kun onjo Kera.

Tiam Gono elprenis tranĉilon kaj trapikis[25] oĉjon Vano, kiu tuj mortis. Ja, onjo Kera estis la plej bela virino en la vilaĝo.

Mi silentis. Nun mi komprenis: oĉjo Gono estas murdisto.

La somero pasis. Komenciĝis la vintro. Neĝis. La tegmentoj de la domoj, la arboj, la stratoj iĝis blankaj. Iun fruan matenon aŭdiĝis ploro, simila al terura lupa hurlo. Ploris onjo Kera. Mia avino diris, ke Gono, la edzo de onjo Kera, mortis. Oni enterigis lin. Nur kelkaj personoj ĉeestis ĉe la enterigo.

---

25) pik-i [G6] <他> 찌르다(刺); 쑤시다, 찌르는 듯 아프다, 얼얼하다, 아리다; (모기·벌레 등이); 쏘다; (감각을) 자극하다, 해하다; 얼얼한 맛을 주다. piko 찌르기, 쏘기, 찌른[찔린] 상처, 쏜[쏘인]상처; 자극. pikema 풍자하기 좋아하는, 꼬집어 뜯기 좋아하는. piketi 간질이다, 웃기다, 재미나게 해주다. pikaĵo 가시, 뾰족한 물건, 침(針). pikilo 가시, 침. pikfosilo =pioĉo 곡괭이. pikbstono =montbastono 등산 지팡이. pikstango 창(槍), 창자루. elpiki <他> 후벼내다, 쪼아내다, 파내다 (뾰족한 물건으로). trapiki <他> 찔러 뚫다, 꿰뚫다. trapikilo, pikbastono 꼬챙이, 굽는 꼬챙이.

나중에 나보다 나이가 많은 **미트코**가 말했다.
"그가 사람을 죽였어."
"정말?" 나는 두려워 미트코를 바라보았다.
"응"
"언제?"
"오래전에. 그가 술집에서 취해 있었어.
바노 아저씨가 케라 아주머니와 함께 하룻밤을 보내고 싶다고 말했어.
그때 그 사람이 칼을 빼서 바노 아저씨를 찔렀고 곧 죽었어.
정말 케라 아주머니는 마을에서 가장 예쁜 여자였어."
나는 조용했다.
이제 나는 고노 아저씨가 살인자임을 이해했다.
여름이 지나가고, 겨울이 시작되었다.
눈이 내렸다.
집의 지붕, 나무들, 도로가 하얗게 되었다.
어느 이른 아침 무서운 늑대 울음 같은
울음소리가 났다.
케라 아주머니가 울었다.
우리 할머니가 케라 아주머니의 남편 고노가 죽었다고 말했다.
사람들이 그를 장사지냈다.
장례식에는 오직 몇 사람만 참석했다.

Printempe la hirundoj denove venis en nian korton. Iun tagon onjo Kera diris, ke en ŝia korto estas hirundoj, kiuj komencis fari neston.[26]

Mi demandis avinjon:

-Avinjo, kial ĝis nun en la korto de onjo Kera ne estis hirundoj?

-Eble la hirundoj sciis, ke en tiu ĉi domo loĝis murdisto.

Tial ili ĝis nun ne faris neston tie.

---

26) nest-o (새의)둥우리, 보금자리; 소굴(巢窟); 피난처. nesti <自>보금자리를 짓다. nestiĝi, eknesti 보금자리를 짓고 살다, 잠복(潛伏)하다. nestulo, nestuleto (보금자리안의)새끼. ennestiĝi 보금자리에 들다.

봄에 제비들은 다시 우리 집에 왔다.
어느 날 케라 아주머니는 자기 마당에 집을 짓기 시작한 제비가 있다고 말했다.
나는 할머니에게 물었다.
"할머니, 왜 지금까지 케라 아주머니 마당에는 제비들이 없었나요?"
"아마 그 집에 살인자가 살고 있다고 제비들이 알았나 봐. 그래서 그들이 지금까지 거기에 집을 짓지 않았지."

19. LA ŜAKALOJ

La domo de Maria kaj Svilen, la plej bela en la loĝkvartalo, estis unuetaĝa blanka kiel ovo. En ilia ne tre granda korto printempe, somere kaj aŭtune videblis multaj buntaj floroj. La plej belaj tamen estis la tulipoj: blankaj, ruĝaj, flavaj. Maria kaj Svilen estis instruistoj, sed nun – pensiuloj.

Bedaŭrinde Svilen malsaniĝis. Maria zorgis pri li, sed de tago al tago li pli malbone kaj pli malbone fartis. La kuracistoj diris, ke oni devas operacii lin, sed Maria ne havis sufiĉe da mono por la operacio. Ŝia najbarino diris, ke ŝi konas viron, kiu pruntedonos monon al Maria. Alia ebleco ne estis kaj Maria prunteprenis monon de tiu ĉi viro.

Post la operacio Svilen revenis hejmen. Maria ĝojis, sed post jaro Svilen mortis. Maria restis sola. La viro, kiu pruntedonis al ŝi monon, komencis postuli, ke Maria redonu la monon, tamen ŝi ne havis monon. La viro minacis preni ŝian domon. Maria ploris, petis lin, dirante al li, ke ŝi bezonas ankoraŭ iom da tempo por havigi la necesan monon, sed la viro estis necedema.

-Ĝis la fino de la monato vi forlasu la domon – diris li.

자칼들

마리아와 **스빌렌**의 집은 거주지역에서 가장 예쁘고 달걀처럼 하얀 1층짜리다.
그렇게 크지 않은 마당에는 봄, 여름, 가을에 여러 가지 꽃이 많다. 하지만 가장 예쁜 꽃은 튤립이다.
하얗고 빨갛고 노랗다.
마리아와 스빌렌은 교사였지만, 지금은 연금수급자다.
아쉽게도 스빌렌이 아팠다.
마리아가 그를 돌보았지만, 날이 갈수록 병은 더 악화하였다.
의사는 그를 수술해야 한다고 말했지만, 마리아는 수술할 돈이 충분하지 않았다.
이웃 여자가 마리아에게 돈을 빌려줄 남자를 안다고 말했다.
하는 수 없이 마리아는 그 남자에게 돈을 빌렸다.
수술이 끝나고 스빌렌은 집으로 돌아왔다.
마리아는 기뻤지만, 1년 만에 스빌렌은 죽었다.
마리아는 홀로 남았다.
마리아에게 돈을 빌려준 남자는 돈을 갚으라고 요구하기 시작했지만, 그녀는 돈이 없었다.
남자는 그녀 집을 차지하겠다고 위협했다.
마리아는 울면서 필요한 돈을 마련하는데 시간이 좀 더 필요하다고 말하고 부탁했지만 그 남자는 양보하지 않았다.
"이달 말까지 집을 비우시오." 그가 말했다.

Liaj okuloj brilis kolere kaj liaj lipoj estis kiel ŝlositaj.
Post monato la viro plenumis la minacon. Venis kelkaj junuloj, kiuj forpelis Marian el la domo. Maria estis sur la strato. Neniu najbaro nek konato helpis ŝin. Ili timis la kruelajn junulojn. Tutan nokton Maria pasigis sur la strato. La sekvan tagon ŝi petis plurajn konatojn, ke ili helpu ŝin, sed neniu helpis.
Finfine kuzino de Maria proponis al Maria elekti en vilaĝa domo, en kiu neniu loĝas. La domo estis malgranda kaj troviĝis je la rando de la vilaĝo. Maria purigis la korton, plantis florojn. Printempe ŝia nova florĝardeno iĝis tiel bela kiel la ĝardeno en ŝia iama urba korto.
Iun matenon antaŭ la pordo de la korto Maria vidis hundon. Ŝi provis forpeli ĝin, sed la hundo restis tie. Post unu horo, kiam Maria denove iris en la korton, la hundo daŭre staris antaŭ la pordo. Tiam Maria eniris la domon, prenis panon kaj donis ĝin al la hundo, kiu tuj komencis manĝi ĝin. Evidente ĝi estis tre malsata. "Kies estas tiu ĉ hundo -demandis sin Maria." En la vilaĝ en preskaŭĉu korto estis hundoj, eĉ ofte ne nur unu. Ĝis nun Maria ne havis hundon, sed ŝi decidis zorgi pri tiu ĉi hundo.

그의 눈동자는 화가 나서 빛났고, 그의 입술은 열쇠로 잠근 듯했다. 한 달 뒤 남자는 위협을 집행했다.
젊은이 몇 명이 와서 마리아를 집에서 내쫓았다.
마리아는 거리로 쫓겨났다.
어느 이웃도 어느 지인도 그녀를 도와주지 않았다.
그들은 잔인한 젊은이들이 무서웠다.
마리아는 길에서 하룻밤을 지냈다.
다음날 여러 지인에게 그녀를 도와달라고 부탁했지만 아무도 도와주지 않았다.
마침내 마리아의 여자 사촌이 아무도 살지 않는 마을 빈집에서 살라고 권유했다. 집은 작고 마을 변두리에 있었다. 마리아는 마당을 청소하고 꽃을 심었다.
봄에 그녀의 새로운 꽃 정원은 예전 도시 마당의 정원처럼 그렇게 예뻤다.
어느 날 아침 마당 문 앞에서 마리아는 개 한 마리를 보았다. 그것을 쫓아내려고 했지만 개는 그 자리에 머물러 있었다.
1시간 뒤 마리아가 다시 마당에 갔을 때도 개는 계속해서 문 앞에 서 있었다. 그때 마리아는 집에 들어가 빵을 가지고 나와 개에게 주었더니 곧 먹기 시작했다. 분명히 개는 무척 배가 고팠던가 보다.
'이 개는 누구 것일까?' 마리아는 궁금했다.
마을에 거의 모든 마당에는 개가 있다.
오로지 한 마리가 아닌 것이 더 흔할 정도다.
지금껏 마리아는 개를 키우고 있지 않았지만, 이 개를 돌보리라 마음먹었다.

Maria malfermis la pordon kaj la hundo eniris la korton.

De tiu ĉi tago Maria havis samloĝanton. Ŝi nomis la hundon Rangel, ĉar ŝi sciis, ke en la nomo de la hundoj devas esti la sono “ro”. Rangel ĉam estis ĉ Maria. Vespere se iu pasis sur la strato, preter la korto, la hundo bojis kaj avertis Marian, ke proksime estas homo.

Maria alkutimiĝis al la vilaĝana vivo. En la korto ŝi kultivis tomatojn, kukumojn, kapsikojn… Ŝi bredis du kapretojn, kiuj estis blankaj kaj petolemaj kiel infanoj. Maria paŝtis ilin ekster la vilaĝo, kie estis bona herbo kaj Rangel, la hundo, ĉiam estis ĉe ili.

En maja tago Maria paŝtis la kapretojn. Ŝi sidis sub la ombro de maljuna alta juglanda arbo kaj Rangel kuŝis apud ŝi.

Subite Rangel eksaltis kaj komencis averte grumbli. Maria rigardis al la herbejo kaj glaciiĝis. El la arbaro proksimiĝis du ŝakaloj. La kapretoj ekkuris. Rangel minace direktis sin al la ŝakaloj, kiuj provis ataki ĝin, sed Rangel saltis kontraŭ ilin kaj faligis unu el la ŝakaloj. Rangel forpelis ilin. La ŝakaloj malaperis en la arbaro.

Maria tremis pro timo. “Rangel helpis min kaj savis min – flustris ŝi.

마리아가 문을 열자 개가 마당 안으로 들어왔다. 이날부터 그 개는 마리아와 함께 지내는 동반자가 되었다.
그녀는 개를 **란겔**이라고 이름 지었다.
개의 이름이 소리 **로**가 있어야만 한다고 아니까.
란겔은 항상 마리아 곁에 있었다.
저녁에 마당 옆으로 거리를 지나가면 개는 짖었고 사람이 가까운 온다고 마리아에게 알려주었다.
마리아는 시골 생활에 익숙해졌다.
마당에서 토마토, 오이, 고추를 키웠다.
그녀는 하얗고 어린이처럼 장난스러운 염소 두 마리도 함께 길렀다.
마리아는 마을 밖 좋은 풀이 있는 곳에서 염소를 치고, 개 란겔은 항상 그들 옆에 있었다.
오월의 한낮에 마리아가 염소를 치고 있었다.
그녀는 키가 크고 오래된 호두나무 그늘 밑에 앉아 있고 란겔은 그녀 곁에 누워 있었다.
갑자기 란겔은 뛰더니 경고하듯 짖기 시작했다.
마리아는 풀밭을 보다가 얼음처럼 굳었다.
숲에서 자칼 두 마리가 가까이 다가왔다.
염소는 달아났다.
란겔은 자기를 공격하려고 하는 자칼에게 위협하듯 덤벼들었다. 란겔이 그들을 대항하여 뛰니 자칼 한 마리가 넘어졌다. 란겔은 그들을 내쫓았다.
자칼은 숲으로 사라졌다.
마리아는 무서워 치를 떨었다.
'란겔이 나를 구했구나.' 그녀는 속삭였다.

- Kiam mia edzo Svilen forpasis kaj kiam oni forpelis min el mia domo, neniu helpis min, sed nun la hundo estis pli kuraĝa ol la homoj.
Maria karesis[27] la hundon, kiu amike lekis[28] ŝian manon.

---

27) kares-i <他>애무(愛撫)하다, 무마(撫摩)하다, 쓰다듬다; 유쾌하게 하다; 행복하게 하다; 애호하다; 품다(환상들을). malkaresi <他>거칠게 대하다

28) lek-i <他> 핥다 ; 슬쩍스치다 ; (불길이) 삼키다. lektrinki=langotrinki. elleki, forleki 핥아버리다 ; 삼켜버리다.

'내 남편 스빌렌이 죽었을 때, 사람들이 나를 내 집에서 쫓아낼 때, 그 누구도 나를 도와주지 않았어.
하지만 지금 개가 사람들보다 더 용감하구나.'
마리아가 개를 어루만지니 란겔은 다정하게 그녀의 손을 핥았다.

20. BONŜANCO

La malbona novaĵo rapide disvastiĝis en vilaĝo Jabalkovo. Kiel tempesto ĝi flugis de la vilaĝa placo, tra la etaj krutaj stratoj, tra la kortoj kaj eniris la domojn. De la okcidenta flanko de la vilaĝo aŭdiĝis trista virina ploro, kiu leviĝis al la ĉielo. Virinoj nudpiedaj ekkuris al la domo de Dobri. Ili eniris la korton kaj komencis demandi:

-Mila, kio okazis?

Mila, la edzino de Dobri, tridekjara, malalta, sed forta kun brakoj blankaj kiel faruno, kun blonda hararo kaj okuloj cejankoloraj, plorante diris:

-Mia filo Ivaĉjo malaperis. Mi serĉis lin en la tuta vilaĝo, mi estis ĉe la rivero, ĉe la vilaĝa monteto, sed nenie mi trovis lin. Li malaperis. Ja, li estas nur kvarjara.

Iuj el la virinoj komencis trankviligi Milan, aliaj provis diveni kio okazis al la eta Ivaĉjo. La edzo de Mila, Dobri, staris senmova, ĉagrenita. Li same plurfoje travagis la vilaĝon, sed nenie li trovis Ivaĉjon.

-Ni telefonu al la polico en la urbo - proponis oĉjo Kosta, la patro de Mila. - Sen la helpo de la polico, ni ne trovos lin.

-Jes, tuj ni telefonu al la polico - diris la virinoj.

행운

나쁜 소식이 **야발코보** 마을에 빠르게 퍼졌다.
나팔 소리처럼 마을 광장에서 작고 거친 도로를 가로질러 마당을 지나 집으로 날아왔다.
마을 서쪽에서 하늘로 올라가는 슬픈 여자의 울음소리가 들렸다.
맨발의 여자들은 **도브리**의 집으로 뛰어갔다. 그들이 마당으로 들어가 물었다. "**밀라**, 무슨 일이야?"
도브리의 아내 밀라는 30살로 키는 작지만, 밀가루처럼 하얀 팔, 금발 머리, 수레국화 색 눈동자를 가지고 건강한데 울면서 말했다.
"우리 아들 **이바쵸**가 사라졌어요.
모든 마을에서 아이를 찾고 강가에도 갔고 마을 언덕에도 갔는데 어디에서도 찾지 못했어요. 아이가 없어졌어요. 정말 그 아이는 겨우 네 살입니다."
여자 중 일부는 밀라를 안정시키기 시작하고 다른 사람들은 어린 이바초에게 무슨 일이 일어났는지 유추하려고 애를 썼다.
밀라의 남편 도브리는 가만히 괴로워하며 서 있다.
그도 마찬가지로 마을을 전부 다녔지만, 어디에서도 이바쵸를 찾지 못했다.
"도시 경찰에게 전화합시다." 밀라의 아버지 **코스타** 아저씨가 권했다.
"경찰의 도움이 없으면 그 아이를 찾을 수 없어."
"예, 즉시 경찰에 전화해요." 여자들이 말했다.

-La policanoj trovos Ivaĉjon – ripetis oĉjo Kosta, sed liaj vortoj ne trankviligis Milan, kiu pli forte ekploris.

Post unu horo el la urbo venis du policanoj. La polica aŭto haltis antaŭ la domo de Dobri kaj Mila. Unu el la policanoj estis malalta kun nigraj lipharoj, la alia – alta, maldika, blondharara kun grizkoloraj okuloj kaj akra rigardo.

La policanoj eniris la korton.

-Kio okazis? – demandis la malalta policano.

La virinoj komencis klarigi kio okazis.

-Ne parolu ĉiuj – diris la policano. – Kiuj estas la gepatroj de la infano?

-Mi estas la patrino – diris Mila.

-Bone – alrigardis ŝin la policano. – Kie estis la infano antaŭ la malapero?

-Ĉi tie, li ludis en la korto – respondis Mila.

-Kie vi estis?

-En la domo.

-Via edzo kie estis?

-Mi estis en la ŝtalo – diris Dobri. – Mi purigis la ŝtalon.

La policanoj turnis sin al la geviroj en la korto.

-Ĉu hodiaŭ iu el vi vidis nekonatan personon en la vilaĝo?

"경찰관들이 이바쵸를 찾을 거야."
코스타 아저씨가 되풀이했지만, 그의 목소리는 더 세게 우는 밀라를 안정시키지 못했다.
1시간 뒤 도시에서 두 명의 경찰관이 왔다.
경찰차가 도브리와 밀라의 집 앞에 멈춰섰다.
경찰관 중 한 명은 키가 작고 검은 턱수염을 가졌고 다른 한 사람은 키가 크고 마르고 금발인데 회색 눈동자에 날카로운 눈빛을 띠었다.
경찰관들이 마당으로 들어섰다.
"무슨 일이시죠?" 키가 작은 경찰관이 물었다.
여자들이 무슨 일이 일어났는지 설명하기 시작했다.
"모두 말하지 마세요." 경찰관이 말했다.
"아이 부모님이 누구십니까?"
"내가 엄마입니다." 밀라가 말했다.
"좋습니다." 경찰관이 그녀를 쳐다보았다.
"없어지기 전에 아이가 어디에 있었나요?"
"여기요. 마당에서 놀고 있었어요." 밀라가 대답했다.
"아주머니는 어디 있었나요?"
"집안에요."
"남편은 어디 계시나요?"
"나는 마구간에 있었어요." 도브리가 말했다.
"나는 마구간을 청소했어요."
경찰관이 마당에 있는 사람들을 향해 몸을 돌렸다.
"오늘 여러분 중 누가 마을에서 낯선 사람을 보았나요?"

Ĉiuj silentis, provante rememori ĉu hodiaŭ ili vidis iun nekonatan.

-Mi vidis - diris la kampogardisto Parvan.

-Kion vi vidis? - tuj demandis la blonda policano.

-Tagmeze mi vidis aŭton sur la vilaĝa placo, en kiu estis du viroj.

-Kian koloron havis la aŭto?

-Estis verda, ĝi aspektis nova.

-Ĉu vi vidis la numeron? - demandis la malalta policano.

-Ne. La aŭto staris sub la granda saliko, dekstre de la placo.

-Jes. La vilaĝo troviĝas proksime al la landlimo. Eble la aŭto estis fremdlanda.

Kiam Mila aŭdis tion, ŝi denove forte voĉe ekploris.

-Ĉu fremdlandanoj ŝtelis mian Ivaĉjon - lamentis ŝi.

-Ni komencos serĉi la infanon - diris la blonda policano, - sed vi devas helpi nin.

-Kiel? - demandis la viroj.

-Vi trarigardu bone la ĉirkaŭaĵon de la vilaĝo. Serĉu en la rivero, en la arbaro.

Kelkaj viroj tuj diris:

-Ni estas pretaj.

-Baldaŭ vesperiĝos. Komencu morgaŭ frumatene!

모두 오늘 그들이 누군가 낯선 사람을 보았는지 기억하려고 애쓰면서 조용했다.
“내가 보았어요.” 들 농사 지킴이 **파르반**이 말했다.
“무엇을 보셨나요?” 금세 금발의 경찰관이 물었다.
“한낮의 마을 광장에서 두 사람의 남자가 탄 차를 봤어요.”
“그 차가 어떤 색이었나요?”
“푸른색인데 새것처럼 보였어요.”
“차 번호를 보셨나요?” 키 작은 경찰관이 질문했다.
“아니요. 차는 광장의 오른편 보리수나무 아래 서 있었어요.”
“예, 마을이 국경선과 가까이 있어요.
아마 차는 외국 차겠죠.”
밀라가 그것을 듣고 다시 소리 내 크게 울기 시작했다.
“외국인이 왜 이바쵸를 몰래 데려갔나요?”
그녀가 탄식했다.
“우리는 아이를 찾을 겁니다.”
금발의 경찰관이 말했다.
“하지만 여러분이 우리를 도와주셔야 합니다.”
“어떻게요?” 남자들이 질문했다.
“여러분은 마을 둘레를 잘 살펴 주세요.
강이나 숲에서 찾으세요.”
몇 명의 남자들이 바로 말했다.
“우리는 준비되어 있어요.”
“곧 저녁이 됩니다.
내일 아침 일찍 시작해요.

Nun ni per la aŭto veturos ĉirkaŭ la vilaĝo - diris la malalta policano.
La policanoj eniris la aŭton.
La tutan nokton Dobri kaj Mila ne dormis. Mila sidis ĉe la tablo en la eta kuirejo. En la domo regis silento, sed ŝajnis al Mila, ke ŝi aŭdas paŝojn, ke iu eniras la korton. Mila saltis, rigardis tra la fenestro, poste kuris al la korto, sed neniu estis tie. Ŝi revenis pli trista kaj pli maltrankvila.
Mallumo kovris la tutan vilaĝon. La domoj, la stratoj silentis kvazaŭ neniu loĝus en la vilaĝo.
Kie estas Ivaĉjo, kio okazis al li - demandis sin Mila.
Antaŭ kvin jaroj ŝi iĝis graveda. Ŝi kaj Dobri estas malriĉaj, sed Mila deziris, ke Ivaĉjo nepre lernu, estu klera.
Nun Ivaĉjo malaperis kaj eble Mila neniam vidos lin lernanto, plenaĝa knabo. Ni revas - meditis Mila, - sed ni ne scias kio okazos en la vivo. Ni ne scias kia estos la morgaŭa tago. La homoj penas, strebas, sed ĉiam estas io, kio dolorigas ilin.
Tamen ie, en la koro de Mila estis anguleto, kie lumis eta espero. Iam la avino de Mila kutimis diri: "Post la nokto venas la tago, post la mallumo estos lumo, post la vintro - printempo."

지금 우리는 차로 마을 둘레를 돌아볼게요."
키 작은 경찰관이 말했다. 경찰관들은 차로 들어갔다.
밤새 도브리와 밀라는 잠을 이루지 못했다.
밀라는 작은 부엌에 있는 탁자 옆에 앉았다.
집에는 침묵이 지배했지만, 누군가 마당으로 들어오는 발걸음 소리가 들리는 듯했다.
밀라는 벌떡 일어나 창을 통해 쳐다보고 나중에 마당으로 뛰어갔지만, 거기에 아무도 없었다. 그녀는 더 슬퍼서 더 불안해서 돌아왔다. 어둠이 온 마을을 뒤덮었다.
집, 거리는 마치 아무도 마을에 살지 않는 것처럼 조용했다.
'이바쵸는 어디 있으며 그에게 무슨 일이 생겼는가?'
밀라는 궁금했다. 5년 전 그녀는 임신했다.
그녀와 도브리는 가난했지만 밀라는 이바쵸가 반드시 배워 지혜로운 사람이 되길 바랐다.
지금 이바쵸가 없어지고 아마 밀라는 결코 그가 나이든 소년이 되어 학생이 된 것을 보지 못할 것이다.
'우리는 꿈을 가졌다.' 밀라는 깊이 생각했다.
하지만 인생에서 무슨 일이 일어날지 우리는 모른다.
우리는 내일의 하루가 어떠할지 모른다.
사람들은 노력하고 애쓰지만, 항상 그들을 고통스럽게 하는 뭔가는 있다. 그러나 밀라의 마음 어딘가에 작은 희망의 불씨가 있는 구석이 있다.
언젠가 밀라의 할머니는 습관적으로 말했다.
"밤이 지나면 낮이 오고 어둠이 가면 빛이 올 것이다.
겨울 뒤에는 봄이 온다."

Ĉi-nokte Mila plurfoje ekstaris antaŭ la ikono de la Dipatrino, petante ŝin helpi trovi Ivaĉjon. La ikono estis malgranda, ligna, iom pala. Mila heredis ĝin de sia avino Gina, kiu ĉiun vesperon, antaŭ la enlitiĝo, preĝis antaŭ ĝi. Mila ofte rimarkis, ke kiam avino Gina preĝis, en ŝiaj okuloj aperis larmoj, kiuj estis ne pro tristo, sed dankemaj larmoj. La avino dankis al la Dipatrino, pro ankoraŭ unu bona tago, kiun ŝi havis. Kaj nun Mila petis la Dipatrinon pri sia ido, ke oni trovu Ivaĉjon viva kaj sana. Mila flustris la preĝon kaj kvazaŭ ŝiaj vortoj flugus alten en la ĉielon.

-Sankta Dipatrino, helpu min, ke mi trovu Ivaĉjon. Vi estas patrino, vi scias, ke la ido estas la plej kara.

Preĝante Mila sentis ian forton. Kvazaŭ la kara rigardo de la Dipatrino donis al ŝi fortojn. Mila deziris tuj iri eksteren, marŝi, marŝi, eniri la arbaron, krii, krii kaj serĉi Ivaĉjon. Ŝi pretis trapasi eĉ la landlimon, iri en alian landon, piediri de vilaĝo al vilaĝo, de urbo al urbo, por trovi sian idon. Mi vagos la tutan vivon, sed mi trovos lin - flustris Mila. Ivaĉjo plenkreskos, li estos lernanto, poste bela forta viro, li edziĝos, havos edzinon, infanojn.

오늘 밤 밀라는 이바쵸를 찾는 데 도와 달라고 기도하면서 성모상 앞에 여러 번 섰다.
조각상은 작고 나무로 만들어 조금 희미했다.
밀라는 그것을 할머니 **기나**에게 물려받았는데 매일 밤 할머니는 침대에 들기 전에 그 앞에서 기도했다.
기나 할머니가 기도할 때 눈에서는 슬픔 때문이 아니라 감사의 눈물이 나타나는 것을 밀라는 자주 알아차렸다.
할머니는 성모상에 아직도 좋은 날 하루를 보낼 수 있도록 해 주셔서 감사했다.
그리고 지금 밀라는 성모상에 자기 자식에 관해, 사람들이 이바쵸를 살아서 건강하게 발견하게 해 달라고 기도했다. 밀라는 기도를 속삭이고 마치 그녀의 말이 하늘로 높이 날아가는 듯했다.
"성모여, 정말로 내가 이바쵸를 찾도록 나를 도와주세요. 당신은 어머니이시니까 자식이 가장 사랑스러움을 아시죠." 기도하면서 밀라는 무언가 힘을 느꼈다.
마치 성모의 사랑스러운 눈빛이 그녀에게 힘을 주는 듯했다. 밀라는 곧 밖으로 나가 걷고 또 걷고 숲으로 들어가서 소리치고 소리치며 이바쵸를 찾고 싶었다.
그녀는 국경선조차 넘어서 다른 나라로 들어가고 이 마을 저 마을 걸어가고 이 도시 저 도시를 다니며 자식을 찾을 준비가 되었다.
'나는 모든 인생을 헤매며 그를 찾을 것이다.' 밀라는 속삭였다.
이바쵸는 많이 자라서 학생이 되고 나중에 멋지고 건강한 남자가 되어 결혼하고 아내와 자녀를 가질 것이다.

Ne eblas, ke infano malaperu senspure. Ne eblas, ke malbonaj homoj ŝtelis lin. Kial ŝteli lin?
Ĉu oni bezonas monon? Ĉu oni vendos lin al familio, kiu ne havas infanon? Tamen la mono, kiun oni ricevos, estos nigra mono! Ĝi ne igos ilin feliĉaj. Ĉu estas patrinoj, kiuj naskas ŝtelistojn? Ĉu estas virinoj, kiuj deziras havi ŝtelitajn infanojn?
Kiel tia patrino zorgos pri ŝtelita infano, kiel ŝi amos ĝin? En kia mondo ni vivas? Kio okazis? Ĉu ankoraŭ estas bonaj homoj? Ĉu estas kompatemaj homoj? La vivo iĝis infero. Ni ĉiuj estas en tiu ĉi infero. Dio mia, kiu savos niajn animojn.
Mila ne rimarkis la tagiĝon. La suno aperis simila al ruĝa larma infana vizaĝo. La mallumo subite malaperis kvazaŭ hundo forpelis ĝin. Tra la malfermita fenestro de la kuirejo videblis la arboj en la korto, la vitlaŭbo. La tomatoj en la bedo ruĝis, similaj al etaj sunoj. La mateno estis friska, sed nur post horo iĝos ege varme, sur la stratoj ne plu videblos homoj kaj la tuta mondo kvazaŭ dronus en tristo.
Mila aŭdis parolon. Al la domo proksimiĝis kelkaj viroj. Iuj el ili, kiuj estis ĉasistoj, portis fusilojn.
-Bonan matenon – diris Mila.

아이가 흔적도 없이 사라지는 것은 불가능하다.
나쁜 사람들이 그를 몰래 데려간다는 것은 불가능하다.
왜 그를 몰래 데려갈까? 돈이 필요할까?
사람들이 그 아이를 자식이 없는 가정에 팔 것인가?
하지만 받은 돈은 검은돈일 것이다. 그것이 그들을 행복하게 하지 못한다. 도둑을 낳는 어머니가 있는가?
훔친 자녀를 갖기 원하는 여자들이 있는가?
그런 어머니가 훔친 자녀를 어떻게 돌볼 것인가?
어떻게 사랑할 것인가?
어떤 세계에서 우리는 살고 있나?
무슨 일이 일어났을까? 아직 좋은 사람은 있는가?
동정심 있는 사람은 있는가? 인생은 지옥이 되었다.
우리 모두 이 지옥에서 산다.
우리 하나님만이 우리 영혼을 구하실 것이다.
밀라는 날이 밝은 것도 알아차리지 못했다.
해는 우는 아이의 붉은 얼굴 같이 나타났다.
어둠은 마치 개가 쫓아낸 것처럼 갑자기 사라졌다.
부엌의 열린 창문 너머 마당에 있는 나무들, 포도 정자가 보였다.
화단에 있는 토마토는 작은 해를 닮아 붉었다.
아침은 시원하지만, 오직 1시간 뒤 몹시 더워질 것이고 거리는 사람들이 보이지 않을 것이고 온 세계는 마치 슬픔에 빠진 듯할 것이다. 밀라는 말소리를 들었다.
집으로 남자 몇 명이 가까이 다가왔다.
사냥꾼인 그들 중 일부는 소총을 가지고 있다.
“안녕하세요” 밀라가 말했다.

-Bonan matenon - salutis oĉjo Mito, kiu estis la estro de la ĉasistoj en la vilaĝo. - Ni iros en la arbaron - diris li. - Preĝu, ke ni trovu Ivaĉjon.
-Dio helpu vin - flustris Mila.
-Ne ploru. Ni esperu, ke la infano havu ŝancon - diris Mito.
Dobri ekiris kun la viroj. Mila staris ĉe la korta pordo kaj longe rigardis post ili.
La ĉasistoj eniris la arbaron.
-Ne rapidu - ordonis Mito. - Ni paŝu malrapide kaj rigardu ĉiun arbuston.[29] Eble ni trovos infanan ŝueton aŭ ion el ĝia vestaĵo. Estus bone, se Ivaĉjo estus irinta al la arbaro kaj ne al la rivero. Tamen vi atentu. Vi bone scias, ke en tiu ĉi arbaro estas lupoj, ŝakaloj, aproj…
Post tiuj ĉ vortoj de Mito la viroj ekiris malrapide. Ili strebis paŝi atente kaj silente. Mito gvidis la grupon. Li estis sepdekjara, sed forta kaj energia kun densa hararo, kaj nigraj okuloj kiel karbo. Mito iris kaj atente rigardis la arbojn, la arbustojn, la veprojn. Jam kvindek jarojn li estis ĉasisto, sed nun unuan fojon li serĉis infanon en la arbaro. Mito ĉasis aprojn, vulpojn, lupojn.

29) arbust-o <植> 반목본 반초본(半木本 半草本)의 식물≪arbedo 보다 더 짧다 : 우복화(牛伏花), 검은 따기, 히이스, 나무딸기 등≫. {malalta arbeto, kies trunketo estas ligneca ĉe la bazo kaj herbeca ĉe la supro}

“안녕.” 마을에서 사냥꾼 책임자인 **미토** 아저씨가 인사했다.
“우리는 숲으로 갈게요.” 그가 말했다.
“이바쵸를 찾도록 기도해 줘요.”
“하나님이 여러분을 도우시도록.” 밀라가 속삭였다.
“울지 마요. 아이가 운이 있다고 바라세요.” 미토가 말했다.
도브리는 남자들과 함께 나갔다.
밀라는 마당 문 옆에 서서 오래도록 그들 뒤를 바라보았다. 사냥꾼들은 숲으로 들어갔다.
“서두르지 마.” 미토가 지시했다.
“천천히 나아가면서 모든 수풀을 살펴요.
아마 어린아이의 작은 신발이나 옷가지 외 뭔가를 찾을 겁니다. 이바쵸가 숲으로 가고 강으로 가지 않았다면 좋을 텐데. 그래도 조심해. 이 숲에는 늑대, 자칼, 산돼지가 있는 것을 여러분은 잘 아니까.”
미토가 이 말을 하자 남자들은 천천히 출발했다.
그들은 주의해서 소리내지 않게 걸으려고 노력했다.
미토가 무리를 이끌었다.
그는 70살이지만, 힘이 세고 건강하다.
무성한 머리카락에 석탄처럼 검은 눈을 가졌다.
미토는 가면서 주의를 기울여 나무, 수풀, 가시덤불을 둘러보았다.
벌써 50년 경력의 사냥꾼이지만, 지금 숲에서 어린이를 찾는 것은 처음이다.
미토는 산돼지, 여우, 늑대를 사냥했다.

Li bone konis la arbaron kaj sciis kie estas grotoj, rokoj, kavoj.
Li sciis, ke ne eblas trarigardi la tutan arbaron, sed li nepre devis helpi al la familio de Dobri. Ja, ni estas homoj - meditis li - ni devas helpi unu la alian. Ni estas samvilaĝanoj. Ni same havas infanojn, nepojn.
La ĉasistoj iris, tamen nenie ili vidis ian ajn spuron.
Subite Pavel, unu el la plej junaj viroj, diris:
-Haltu!
Ĉiuj tuj haltis.
-Venu! Ĉi tie mi vidas infanan piedsignon. Ĉiuj rigardis la piedsignon.
-Jes - diris Mito. - Estas espero. Pavel, vi havas aglan rigardon. La viroj ekiris al la direkto de la infana piedsigno.
-Atentu! - diris Mito. Lia vizaĝo iĝis pala. Li streĉe rigardis la teron.
-Kio okazis? - demandis Dobri.
-Jen - diris Mito.
-Jes - flustris Pavel - ĉi tie estas lupa piedsigno. Post la infano iris lupo.
-Tamen ni iru. Ni vidos kio okazos - diris Mito.
- Pretigu la fusilojn kaj paŝu silente - ordonis flustre Mito.

그는 숲을 잘 알고 동굴, 바위, 움푹 파인 곳이 어디 있는지 안다.
모든 숲을 둘러보기가 불가능하다는 것도 알지만 반드시 도브리 가족을 도와야만 한다.
정말 우리는 사람이다. 그는 깊이 생각했다.
우리는 서로 도와야만 한다.
우리는 같은 마을 사람이다.
우리는 마찬가지로 아이, 손자를 가지고 있다.
사냥꾼들은 걸어갔지만, 어디에서도 어떤 흔적도 볼 수 없었다.
갑자기 가장 젊은 남자 **파벨**이 말했다.
"멈추세요." 모두 바로 멈추었다.
"이리 와 보세요. 여기 어린아이 발자국이 보입니다." 모두 발자국을 살펴보았다.
"그래." 미토가 말했다.
"희망이 있어. 파벨. 너는 독수리 눈을 가졌구나."
남자들은 어린이 발자국 쪽으로 향했다.
"조심해." 미토가 말했다.
그의 얼굴은 창백했다. 긴장해서 땅을 살폈다.
"무슨 일이세요?" 도브리가 물었다.
"여기." 미토가 말했다.
"예, 여기에 늑대 발자국이 있어요. 아이 뒤에 늑대가 갔어요." 파벨이 속삭였다.
"그래도 가 보자. 무슨 일이 일어났는지 보자." 미토가 말했다. 총을 준비하고 조용히 걸으며 미토가 조그맣게 지시했다.

Singardeme li iris antaŭen. Post cent metroj Mito haltis.

-Ĉu estas io? - demandis iu.

-Vidu la arbuston tie.

Ĉiuj rigardis al la arbusto, kiun montris Mito. Ĉe la arbusto kuŝis lupo, ĉe kiu videblis kuŝanta infano, tamen ne estis klare ĉu la infano estas viva. Kelkajn sekundojn la viroj ne kuraĝis moviĝi. Ili staris ŝtonigitaj kaj eĉ sonon ne prononcis.

Mito silentis kaj cerbumis kiel agi.

-Bone, ke la vento blovas kontraŭ ni - mallaŭte diris li.

- La lupo ankoraŭ ne ekflaris nin. Tamen ni ne havas multe da tempo.

-Kion ni faru, oĉjo Mito? - demandis Dobri maltrankvila.

-Ne rapidu - diris Mito.

-Ĉu estas lupo aŭ hundo? - demandis Pavel.

-Ne lupo, sed lupino - diris Mito. - La lupino instinkte sentis, ke Ivaĉjo estas infano kaj ĝi iris post li kaj gardis lin. En la naturo tio estas. La patrina instinkto montris al la lupino, ke Ivaĉjo estas senhelpa.

-Kion ni faru? - denove demandis Dobri.

-Ni ne devas timigi la lupinon.

조심스럽게 그가 앞으로 나아갔다.
100m 간 뒤에 미토가 멈추었다.
“무슨 일이세요?” 누가 물었다.
“저기 수풀을 봐.”
모두 미토가 가리키는 수풀을 쳐다보았다.
수풀 옆에 늑대가 누워 있고, 그 옆에 누워 있는 어린 아이가 보였지만, 아이가 살아 있는지는 분명하지 않았다. 몇 초 동안 남자들은 감히 움직이지 못했다.
그들은 돌처럼 굳어서 어떤 소리조차 내지 못했다.
미토는 조용히 어떻게 할 것인가 궁리했다.
“바람이 우리를 향해서 불어 다행이야.” 그가 작은 소리로 말했다.
“늑대는 아직 우리 냄새를 맡지 못했어. 하지만 우리는 시간이 많지 않아.”
“무엇을 할까요? 미토 아저씨!” 도브리가 걱정되어 물었다.
“서두르지 마.” 미토가 말했다.
“늑대인가요 개인가요?” 파벨이 질문했다.
“늑대가 아니라 암늑대야.” 미토가 말했다.
“늑대는 본능적으로 이바쵸가 어린이임을 알고 그를 뒤따라 와서 지키고 있어.
자연은 그런 것이야.
어머니의 본능은 암늑대에게 이바쵸가 어떤 도움도 받지 못함을 알려 줘.”
“무엇을 할까요?” 다시 도브리가 물었다.
“우리는 암늑대를 두렵게 해서는 안 돼.

Kiam ĝi ekflaros[30] nin, ĝi foriros. Evidente la lupino ne estas malsata. Mi iom proksimiĝos - diris li al la viroj. - Vi atentu. Ja, ĝi estas besto. Ne eblas scii kiel ĝi agos.

Mito ekiris malrapide al la arbusto. La lupino ekstaris kaj forkuris. La viroj rapide ekpaŝis post Mito. Ivaĉjo kuŝis ĉe la arbusto. Mito levis lin. Eble Ivaĉjo opiniis, ke la lupino estas hundo.

-Ivaĉjo - ekkriis Dobri, en kies okuloj brilis larmoj.

-Dank'al Dio Ivaĉo bone fartas -diris Mito. - Ja, li sola trapasis preskaŭ la tutan arbaron. Granda ĉasisto li estos!

Ĉiuj viroj levis la fusilojn kaj pafis. Aŭdiĝis triumfa salvo.

-Estu viva kaj sana nia eta heroo - diris Mito.

La viroj ekiris al la vilaĝo. Dobri feliĉa portis Ivaĉjon.

30) flar-i <他> 냄새맡다;냄새로 알다[알아차리다], (음모 등을) 눈치 채다 en flari <他>코로 들여마시다, 들여마셔 냄새맡다. flartabako 코담배 《코로 들여마시는》. flaro 후각(嗅覺)

우리 냄새를 맡으면 그것은 갈 거야.
분명 암늑대는 배가 고프지 않아.
내가 조금 가까이 갈게."
그는 다른 남자들에게 말했다.
"조심해. 정말 그것은 짐승이야.
그것이 어떻게 행동할지 알 순 없어."
미토는 천천히 수풀로 갔다.
암늑대는 일어나서 멀리 뛰어갔다.
남자들은 재빨리 미토 뒤로 따라갔다.
이바쵸는 수풀 옆에 누워 있다.
미토가 그를 들어 올렸다.
아마도 이바쵸는 암늑대가 개라고 생각했을 것이다.
"이바쵸!"
도브리가 소리치는데 그의 눈에는 눈물이 반짝거렸다.
"하나님 덕택에 이바쵸가 잘 지냈어." 미토가 말했다.
"정말 그 아이는 혼자서 거의 모든 숲을 지나갔어.
위대한 사냥꾼이 될 거야."
모든 남자는 총을 들고 쏘았다.
승리의 일제 사격 소리가 났다.
"우리의 작은 영웅아! 살면서 건강해라." 미토가 말했다. 남자들은 마을로 출발했다.
행복한 도브리가 이바쵸를 데리고 갔다.

21. PEPO

Pepo estis nia la plej granda riĉaĵo. Ni fieris per ĝi, ĉar en la loĝkvartalo nur ni havis tian unikan papagon. Ĝi estis tre bela, tre bunta kaj al mi ŝajnis, ke kiam mi observas ĝin, mi vidis sur ĝia korpo sennombrajn kolorojn. Plurfoje mi provis nombri la kolorojn sur ĝiaj flugiloj, kapo, sed mi neniam sukcesis precize nombri ilin. Estis fantazia riĉeco de diversaj koloroj, kiuj mirigis min. Eĉ la okuloj de Pepo aspektis multkoloraj. Matene ili havas ian koloron, vespere – alian.
Estis momentoj, kiam la rigardo de Pepo estis gaja kaj momentoj, kiam ĝi estis kolera. Ofte mi sekrete observis ĝin kaj en ĝiaj okuloj mi rimarkis profundan triston, kion mi neniam vidis en la homaj okuloj. Mi demandis min – kion sentas Pepo kaj ĉu ĝi sentas ion? Kiam Pepo vidis, ke mi observas ĝin, ĝi tuj kaŝis la malĝojon kaj ŝajnigis sin gaja kaj senzorga.
Mi bone memoras la tagon, kiam Pepo aperis en nia domo. Mia frato, kiu estis maristo, portis ĝin de iu malproksima lando. Pepo longe ne povis alkutimiĝi al nia domo. Dum la unuaj tagoj ĝi silentis kaj rigardis nin malamike.

페포

페포는 우리의 가장 큰 재산이다.
그 지역에서 오직 우리만 그렇게 독특한 앵무새를 가지고 있으므로 우리는 그것을 자랑한다.
그것은 매우 예쁘고 정말 다채로우며 내가 관찰해보면 그의 몸에서 셀 수 없는 색깔을 보는 것처럼 느꼈다.
여러 번, 그 날개와 머리 색깔을 세려고 했지만, 정확히 몇 가지 색인지 인식하는 데 결코 성공하지 못했다.
나를 놀라게 하는 다채로운 색깔의 환상적인 부유다.
페포의 눈에서조차 많은 색깔이 보일 정도다.
아침에는 어떤 색이다가 저녁에는 또 다른 색이다.
어떤 순간에 페포의 눈길은 즐겁다가 어떤 순간에는 화가 나 있다.
자주 나는 그것을 비밀스럽게 살피고,
그 눈 속에서 사람의 눈에서는 결코 볼 수 없는 깊은 슬픔을 알아차렸다. 나는 궁금했다.
페포는 무엇을 느끼는가?
그리고 무언가를 느끼는가?
페포는 내가 살피고 있는 것을 보면 곧바로 슬픔을 감추고 즐겁고 걱정 없는 듯 보이게 한다.
나는 페포가 처음 우리 집에 온 그 날을 잘 기억한다.
선원인 내 형이 어느 먼 나라에서 그것을 가져왔다.
페포는 오랫동안 우리 집에 적응할 수 없었다.
첫날에는 조용히 우리를 적대적으로 쳐다보았다.

Ĝia rigardo estis tre minaca kaj ni ne kuraĝis proksimiĝi al la kaĝo. Mia frato avertis nin, ke Pepo havas tre fortan bekon, simila al ŝtala tondilo kaj se ĝi bekpikus nin, ĝi tondos nian fingron.
Iom post iom Pepo komencis rigardi nin scivoleme. Ĝi rapide ellernis niajn nomojn kaj plurajn vortojn, kiujn ĝi tre bone prononcis. Pepo plej ŝatis ludi kun mia sesjara nevino Iveta. Ŝi instruis ĝin paroli, ŝi nutris ĝin kaj zorgis pri ĝi. Ilia ŝatata ludo estis la pafmortigo. Iveta direktis al Pepo sian montrofingron kaj diris:
-Pepo, nun mi pafmortigos vin.
Poste Iveta diris:
-Paf'.
Pepo tuj falis kvazaŭ ĝi vere estus pafmortigita.
Tiu ĉi ludo daŭris dum minutoj kaj plurfoje Pepo senlace falis post la "pafo"de Iveta. Ĝ tiel sindone "mortis", ke oni opinius, ke Pepo vere mortis.
Pepo tre ŝatis ankaŭ Rosi, la edzinon de mia frato. Kiam ĝi vidis ŝin, ĝi ĝojis. Pepo levis kapon kiel generalo antaŭ sia armeo. En ĝiaj okuloj aperis briloj. Ĝi komencis promeni en la kaĝo, flustrante ion, kio similis al tenera melodio kaj mi opiniis, ke Rosi komprenas kion diras Pepo.

시선이 매우 위협적이라 우리는 새장에 가까이 다가갈 용기도 없었다. 내 형은 페포가 쇠 가위 같이 아주 강한 부리를 가져서 그것이 우리를 물고 찌르면 우리 손가락이 잘릴 거라고 경고했다.
조금씩 페포는 우리를 호기심을 갖고 바라보았다.
그것은 빨리 우리 이름과 여러 단어를 익히고 그것들을 아주 잘 발음했다.
페포는 나의 6살 조카 **이베타**와 함께 노는 것을 가장 좋아했다. 그 여자애는 그것이 말하도록 가르치고 먹을 것을 주고 잘 돌보았다.
그들의 좋아하는 놀이는 '총 쏴 죽이기' 다.
이베타가 페포를 향해 지시하는 손가락을 가리키고 말했다.
"페포, 지금 내가 너를 총으로 쏘아 죽일 거야."
나중에 이베타가 말했다. "팡!"
페포는 진짜 총에 맞아 죽은 것처럼 바로 넘어졌다.
이 놀이는 몇 분간 계속되고 페포는 이베타의 팡 소리 뒤 지치지도 않고 여러 번 넘어졌다.
그것이 몸을 던져 죽어서 모두 페포가 정말 죽었다고 생각할 정도다.
페포는 내 형의 부인 **로시** 역시 아주 좋아한다. 그녀를 보면 기뻐한다. 페포는 군대 앞의 장군처럼 고개를 든다. 그 눈에서는 빛이 나타났다.
그것은 부드러운 가락 같은 무언가를 속삭이며 새장 안에서 산책한다. 로시는 페포가 무엇을 말하는지 이해한다고 나는 생각했다.

Pepo estis feliĉa, kiam Rosi karesis ĝin.
Se Rosi havis ian okupon kaj ne estis proksime al la kaĝo, Pepo komencis krii:
-Rosi, Rosi.
Ĝi rigardis minace Rosi kaj estis ofendita. Min Pepo preskaŭ ne rimarkis. Nur de tempo al tempo ĝi demandis min:
-Bobo, kiel vi fartas?
Aŭ -Bobo, ĉu vi havas amatinon?
Pepo ne deziris ludi kun mi kaj kiam mi diris al ĝi:
"Pepo, mi pafmortigos vin", ĝi rigardis min malestime. Mi provis subaĉeti ĝin, donante al ĝi dolĉaĵojn kaj fruktojn, sed ĝi eĉ ne alrigardis ilin.
Kiam ni havis gastojn, Pepo estis ege ĝoja. La gastoj staris antaŭ la kaĝo kaj Pepo montris ĉion, kion ĝi scias. Fiere ĝi diris ĉiujn vortojn. Kiam la gastoj foriris, Pepo estis trista. Ĝi ne ŝatis esti sola kaj tiam ĝi kriis:
-Rosi, Rosi.
Pepo tre bone povis imiti telefonsonorojn. Kiam en la ĉambro estis kelkaj personoj, ĝi komencis sonori kiel telefono kaj iu tuj elprenis sian poŝtelefonon, certa, ke ĝi sonoras. Ofte iu el la virinoj en la ĉambro longe serĉis sian telefonon en la sako, pensante ke iu telefonas al ŝi.

로시가 쓰다듬어주면 페포는 행복해했다.
로시가 어떤 일을 하고 있어 새장에 가까이 오지 못하면 페포는 소리쳤다.
"로시, 로시"
그것은 로시를 위협하듯 바라보고 기분이 상한 듯했다.
페포는 나를 거의 알아차리지 못했다.
오직 때로 내게 물어온다. "봅, 어떻게 지내니?" 아니면 "봅, 애인은 있니?"
페포는 나와 놀기를 원치 않아서, 내가 그에게 "페포, 내가 너를 총으로 쏴 죽일 거야!" 하고 말할 때 깔보듯 나를 바라본다.
나는 그에게 과자와 과일을 주면서 매수하려고 했지만, 그것들을 쳐다보기조차 하지 않았다.
우리가 손님을 맞이할 때 페포는 아주 기뻐했다.
손님들이 새장 앞에 서면 페포는 알고 있는 모든 것을 보여주었다. 자랑스럽게 모든 단어들을 말했다.
손님이 갈 때 페포는 슬펐다. 그것은 혼자 있는 것을 좋아하지 않아 그때 "로시, 로시" 하고 소리쳤다.
페포는 전화 소리를 아주 잘 흉내 냈다.
방에 몇몇 사람이 있을 때 그것은 전화기처럼 소리를 낸다.
누군가 곧 자기 휴대전화기를 꺼냈지만 페포가 소리를 낸 것이 확실하다.
자주 방에서 여자 중 누군가가 가방에서 자기 전화기를 계속 찾는다.
누군가가 자기에게 전화했다고 생각하며.

Pepo ĉiam komprenis, kiam mia frato kaj Rosi konfliktis.[31] Ĝi tuj diris al mia frato:

-Stultulo, stultulo.

Se Rosi estis trista, Pepo provis ĝojigi ŝin. Tiam Rosi staris ĉe la kaĝo kaj karesis ĝin. Pepo estis feliĉa. Foje mia frato kaj Rosi kverelis.[32] Rosi ofendiĝis. Ŝi kaj Iveta iris loĝi en la domo de la gepatroj de Rosi. Post tiu ĉi tago Pepo ĉesis paroli. Ĝi ne plu imitis telefonsonorojn. Nia domo fariĝis tre silenta. Pepo malĝoje rigardis nin.

Iun vesperon, kiam mi kaj mia frato revenis hejmen, Pepo ne estis en la kaĝo.

Verŝajne matene mi forgesis fermi ĝin. Pepo malaperis.

---

31) konflikt-o [OA] (의견· 이해(利害) 등의) 충돌(衝突), 저촉(抵觸), 알력(軋轢), 모순(矛盾), 갈등; 분쟁. konflikti <自> 의견충돌하다. {malkonsento kaŭzita de kontraŭeco de deziroj aŭ opinioj}

32) kverel-i [OA] <自> 논쟁(論爭)하다, 언쟁하다, 다툼하다, 말로 싸우다. kverel(ad)o논쟁, 말다툼, 싸움.

페포는 내 형과 로시가 다툴 때면 항상 안다.
금세 내 형에게 말했다.
“바보, 바보.”
로시가 슬퍼하면 페포는 그녀를 기쁘게 하려고 했다.
로시가 새장 옆에 서서 쓰다듬으면 페포는 행복해했다.
한번은 내 형과 로시가 다투었다.
로시의 마음이 상했다.
로시와 이베타는 로시 부모님 집으로 살러 갔다.
이날 이후 페포는 말하기를 그만두었다.
더는 전화 소리를 흉내 내지 않았다.
우리 집은 아주 조용해졌다.
페포는 슬프게 우리를 쳐다보았다.
어느 날 저녁 나와 내 형이 집에 돌아왔을 때 페포는 새장 안에 없었다.
정말 아침에 내가 새장 닫는 것을 잊어버린 듯했다.
페포는 사라지고 없었다.

22. TRISTA RENKONTIĜO

La printempo venis kiel belulino. En la ĝardenoj la floroj formis buntajn tapiŝojn. Marin ŝatis la unuajn printempajn tagojn. Sur la montopintoj ankoraŭ estis neĝo, sed li prenis la dorsosakon kaj ekskursis. Kutime Marin iris tra etaj arbaroj, supreniris montetojn, trapasis vastajn herbejojn, eniris vilaĝojn, malgrandajn urbojn.

Hodiaŭ li ekiris tre frue matene al la montara vilaĝo Voden. Li paŝis tra la vilaĝaj stratoj kaj sur la placo li sidis sur benko por ripozi. Kontraŭ li, sur la placo, estis kelketaĝa konstruaĵo, sed preskaŭ ruinita. Ĝi ne havis fenestrojn, ne estis pordo, ne estis tegoloj sur la tegmento. En la korto de la konstruaĵo videblis malpuraĵoj.

Kiam oni konstruis ĝin kaj kiam oni forlasis ĝin? - demandis sin Marin.

En tiu ĉi momento proksime al Marin pasis maljunulo, kiu salutis lin.

-Bonan tagon.

-Bonan tagon - respondis Marin.

-Vi ne estas el nia vilaĝo - diris la maljunulo, rigardante lin.

-Ne - respondis Marin. - Mi pasis tra la vilaĝo kaj mi sidis iom ripozi.

슬픈 만남

봄이 아름다운 여자처럼 왔다.
정원에는 꽃들이 다채로운 융단을 만들었다.
마린은 첫 번째 여름날을 좋아한다.
산꼭대기에는 아직도 눈이 있다.
그렇지만 그는 등에 가방을 메고 산을 오른다.
습관적으로 마린은 작은 숲을 통과해서 언덕을 올라가고 넓은 풀밭을 지나 작은 도시인 마을로 들어갔다.
오늘 그는 매우 이른 아침에 산골 마을 **보덴**으로 출발했다.
그는 마을 길을 지나가고 광장 위에서 잠깐 쉬려고 긴 의자에 앉았다.
광장의 반대편에는 몇 층의 건축물이 있는데 거의 폐허가 되었다.
창문도 없고 문도 없고 지붕 위에 기와만 남아 있다.
건축물 마당에는 쓰레기들이 보인다.
언제 이것을 짓고 언제 이것을 버렸는가
마린은 궁금했다.
이 순간에 마린에게 늙은이가 다가와 인사했다.
"안녕하세요."
"안녕하십니까?" 마린이 대꾸했다.
"젊은이는 우리 마을 사람이 아니네요." 노인이 그를 쳐다보고 말했다.
"예, 저는 마을을 거쳐 지나가다가 잠깐 쉬려고 앉았습니다." 마린이 대답했다.

-Bone, bone - diris la maljunulo.

-Mi iam estis ĉi tie, en via vilaĝo, - menciis Marin, - sed nun mi vidas tiun ĉi ruinitan konstruaĵon. Ĉu ĝi estis fabriko aŭ ia laborejo?

-Fabriko por kolbasoj - respondis la maljunulo. La posedanto de la fabriko nomiĝis Strahil Ivanov. Li estis direktoro de la vilaĝa lernejo, sed li decidis produkti kolbasojn kaj forlasis la lernejon. Li konstruis tiun ĉi fabrikon. Oni produktis bonajn kolbasojn, kiujn oni vendis en la proksimaj vilaĝoj kaj urboj. La homoj ŝatis la kolbasojn kaj aĉetis ilin.

Strahil Ivanov rapide iĝis tre riĉa, sed la mono ne estas bona amiko. Li divorcis, ĉar li ekamis junulinon al kiu li aĉetis loĝejon en la urbo kaj aŭton. Strahil Ivanov estis tre fiera kaj opiniis sin ĉiopova. Li komencis drinki, diboĉi, ne laboris diligente kiel antaŭe kaj li bankrotis. Li restis sen edzino, sen familio, sen amatino. Ne pasis multe da tempo kaj li forpasis, mortis. Jen kio restis, la ruinita kolbasfabriko - diris la maljunulo.

-Malĝoja vidindaĵo - aldonis Marin.

-Trista vidindaĵo por trista patro. Strahil estis mia filo - diris la maljunulo kaj foriris.

"좋아요. 잘 했어요." 노인이 말했다.
"저는 예전에 여기 이 마을에 살았어요."
마린이 언급했다.
"하지만 인제야 이 폐허 된 건물을 봤어요.
이것은 공장입니까 작업장입니까?"
"소시지 공장이었어요." 노인이 대답했다.
"공장 주인은 **스트라힐 이바노브**라고 이름을 불렀죠.
그는 마을 학교 교장이었지만 소시지를 생산하려고 마음먹고 학교를 그만두었죠. 이 공장을 건축했지요.
좋은 소시지를 만들어 가까운 마을과 도시에 내다 팔았어요. 사람들이 소시지를 좋아해서 사 갔어요.
스트라힐 이바노브는 빠르게 큰 부자가 되었지만, 돈은 좋은 친구가 아니죠. 그가 도시에서 아파트와 자동차를 샀고, 도시의 아가씨와 사랑에 빠져 부인과는 이혼했어요.
스트라힐 이바노브는 아주 교만해져 모든 것을 할 수 있다고 주장했죠.
그는 술을 마시며 방탕하여 전에처럼 열심히 일하지 않아서 파산했어요.
그는 아내도, 가족도, 애인도 없이 혼자 남았지요. 많은 시간이 지나지 않았지만, 그는 마을을 떠났고 죽었어요. 여기 폐허 된 소시지 공장만 남았네요." 노인이 말했다.
"슬픈 구경거리네요." 마린이 덧붙였다.
"슬픈 아버지를 위한 슬픈 구경거리지요.
스트라힐은 내 아들이었어요."
노인은 말한 뒤에 자리를 떠나갔다.

23. MAJESTA CERVO

Pantelej, alta, svelta, larĝŝultra kun nigra hararo kaj flamantaj okuloj, estis la plej fama viro en la vilaĝo Belovo.
Iam multaj junulinoj estis enamiĝintaj al li. Tamen Pantelej edziĝis al Elena, kiu same estis bela, havis melodian voĉon kiel najtingalo kaj kantis mirinde. Ankoraŭ nun la kaŝtankoloraj okuloj de Elena bruligas la junulajn animojn.
Pantelej estis forstisto. Multajn malfacilaĵojn li havis.
La vilaĝanoj ne ŝatis lin, ĉar severe li persekutis la ŝtelĉasistojn kaj ĉiujn, kiuj kontraŭleĝe hakas arbojn en la arbaro. Malice oni diris al li: "Feliĉ homo vi estas, tutan tagon vi promenadas en la arbaro." Tamen Pantelej ŝjnigis, ke li ne aŭas tion. Oni enviis lin pro Elena, kiu malgraŭ jam kvindekjara ankoraŭ estis bela kaj alloga.
La tagojn Pantelej pasigis en la arbaro. Oni neniam vidis lin en la vilaĝa drinkejo, nek konversacii kun iu surstrate aŭ sur la vilaĝa placo. Lia domo kvazaŭ estus la arbaro, kie li konis ĉiujn arbojn, arbustojn, eĉ la bestojn, kiuj loĝas en ĝi. La arbaro estis lia azilo, malproksime de la homa malico kaj envio.

위엄있는 사슴

판텔레이는 키가 크고 날씬하고 어깨가 벌어졌으며 검은 머리카락, 불타는 눈동자로 **벨로보** 마을에서 가장 유명한 남자다.
언젠가 많은 아가씨들이 그를 사랑했지만, 판텔레이는 자기처럼 예쁘고 나이팅게일 같은 가락 있는 목소리를 가지고 놀랍게 노래하는 **엘레나**와 결혼했다.
지금까지도 밤나무 색 눈을 가진 엘레나는 남자들의 가슴에 불을 피운다.
판텔레이는 삼림 지킴이다. 많은 어려움을 가지고 있다. 마을 사람들은 그를 좋아하지 않는다.
몰래 사냥하는 사람들과 숲에서 불법으로 나무를 자르는 모든 사람들을 심하게 핍박한다.
악의적으로 사람들은 그에게 말했다.
"행복한 사람이시네요. 종일 숲에서 거니니까요."
하지만 판텔레이는 그것을 듣지 않는 듯했다.
벌써 50살인데도 아직 예쁘고 매력적인 엘레나 때문에 사람들이 그를 부러워했다.
하루는 판텔레이가 숲속에서 지냈다.
사람들은 결코 그를 마을 술집에서 보지도 못했고 어느 거리나 마을 광장에서 누군가와 대화하지도 않았다.
그의 집은 마치 숲과 같다.
거기서 그는 모든 나무, 수풀, 거기에 사는 동물들조차 다 안다. 숲은 사람들의 악의와 부러움에서 멀리 떨어진 그의 피난처다.

Pantelej ŝatis observi la bestojn. Por li ili estis kiel infanoj. Li havis ŝatatan cervon, belan, grandan, fortan, kiun li nomis Majesta Cervo. Sur la frunto de la cervo estis nigra makulo, simila al steleto. Unuan fojon Pantelej vidis la cervon, kiam ĝi estis juna. Ofte dum horoj li vagis tra la arbaro por vidi Majestan Cervon. "Mi gardu, ke oni ne mortpafu ĝin - diris Pantelej. - Majesta Cervo devas vivi kaj ĝojigi la homojn."
Iam nokte Pantelej songŝs Majestan Cervon. En la songo li vidis ĉasistojn, kiuj iras en la arbaron por ĉasi la cervon. Aŭdiĝis terura hunda bojado. Inter la arboj aperis Majesta Cervo, fluganta kiel vento. La hundoj persekutis ĝin, sed la cervo flugis super la arboj kaj montetoj. Pantelej sciis, ke la ĉasistoj neniam sukcesos mortpafi Majestan Cervon, sed li vekiĝis ŝvita, maltrankvila. Ĉe li Elena dormis kviete. Pantelej rigardis ŝin kaj flustris: "Eĉdormanta ŝ estas bela."
Somere, kiam estis la tritikrikoltado, komenciĝs la amperiodo de la cervoj. Sur la kamparo varmegis, sed en la arbaro estis friske. "En la arbaro, - meditis Pantelej - ne estas insido, malico, trompo. Ne estas kalumnioj, dorsfrapoj, denuncoj, mensogoj. La cervoj interbatalas por la cervinoj. La pli forta venkas, la alia foriras.

판텔레이는 동물들을 살피기 좋아했다.
그에게 그것들은 자식과 같았다.
그는 **'위엄있는 사슴'** 이라고 이름 지어 준 예쁘고 크고 힘이 센 사슴을 좋아한다.
사슴의 이마 위에는 작은 별 같은 검은 얼룩이 있다.
처음 판텔레이가 사슴을 보았을 때 그것은 젊었다.
자주 여러 시간 그는 위엄있는 사슴을 보려고 숲을 헤맸다. '사람들이 그것을 쏘아 죽이지 않도록 나는 지켜야 해.' 판텔레이는 말했다. '위엄있는 사슴은 살아서 사람들을 기쁘게 해야만 해.'
어느 날 밤에 판텔레이는 위엄있는 사슴 꿈을 꾸었다.
꿈에서 사슴을 사냥하러 숲에 들어온 사냥꾼을 보았다.
잔인한 개 소리가 들렸다.
숲 사이에 바람처럼 나르는 위엄있는 사슴이 나타났다.
개들이 그것을 공격했지만, 사슴은 나무나 언덕 위로 쏜살같이 뛰어갔다.
판텔레이는 사냥꾼이 결코 위엄있는 사슴을 쏘아 죽이는 데 성공하지 못할 것을 알지만, 식은땀을 흘리며 깨어나 불안해했다.
옆에서 엘레나가 조용하게 자고 있다. 판텔레이는 그녀를 보고 속삭였다. '잠자는 것조차 그녀는 예뻐.'
여름에 밀 수확할 때 사슴들의 발정기가 시작됐다.
들판 평지는 더웠지만, 숲은 시원했다.
'숲에서는 함정, 불의, 사기가 없다. 비방, 등 때림, 고발, 거짓말이 없다. 사슴은 암사슴을 차지하려고 서로 싸운다. 더 센 놈이 이기고 다른 놈은 떠난다.

Ĝi ne estas ofendita, kolerigita, ne intencas venĝi sin."

Pantelej kaŝ observis la interbatalon de la cervoj. Dum jaroj neniu venkis Majestan Cervon. Ĝi estis la plej forta, la plej kuraĝa. Dum la batalo ĝiaj okuloj fajris kaj la makulo sur ĝia frunto kvazaŭ iĝus pli granda. La cervoj interplektis kornojn, puŝis unu la alian, sed neniu retiriĝis. Majesta Cervo ĉiam venkis kaj forpelis la rivalantan cervon.

En la lasta jaro en la arbaro aperis alia bela forta cervo, kiu estis pli juna ol Majesta Cervo. "Tia estas la vivo -diris Pantelej. - Sub la ĉielo nenio ekzistas eterne. " La juna cervo vagis tra la arbaro kaj Pantelej sciis, ke venos la tempo, kiam Majesta Cervo kaj la juna cervo renkontiĝos.

En varma somera tago tiu ĉi momento venis. Foje, irante en la arbaro, Pantelej aŭdis bruon. Li haltis, aŭskultis.

Blovis venteto kaj li antaŭvidis, ke li ne estos rimarkita kaj flarita de la bestoj. Silente Pantelej proksimiĝis al herbejo, de kie aŭdiĝis la bruo. Li staris malantaŭ dika arbo. Sur la herbejo Majesta Cervo kaj la juna cervo interbatalis. La kronoj krakis.

그것은 상처받거나 화가 나지 않고 복수를 꾀하지도 않는다.' 판텔레이는 생각했다.
그는 숨어서 사슴들의 싸움을 지켜봤다.
여러 해 그 누구도 위엄있는 사슴을 이기지 못했다.
그것은 가장 힘이 세고 가장 용감했다.
싸우는 동안 그의 눈동자는 불이 나고 이마의 얼룩은 마치 더 커진 듯했다.
사슴은 뿔을 서로 엮어 밀어내지만, 그 누구도 다시 당기지 못했다. 위엄있는 사슴은 항상 이겨 경쟁 사슴을 멀리 쫓아냈다.
지난해 숲에 위엄있는 사슴보다 더 젊은 멋지고 힘센 사슴이 나타났다.
'그것이 인생사와 같은 것이지.' 판텔레이는 말했다.
'하늘 아래 어떤 것도 영원히 존재하지는 않아.'
젊은 사슴은 숲속을 헤맸다.
판텔레이는 위엄있는 사슴과 젊은 사슴이 만날 때가 오리라는 것을 알았다.
따뜻한 여름날, 그 순간이 왔다.
한번은 숲으로 가면서 판텔레이는 소란스러운 소리를 들었다. 그는 멈춰서 들었다.
약한 바람이 불어서 동물들이 자기를 냄새로 알아차리지 못하리라고 예감했다.
조용히 판텔레이는 소음이 나는 풀밭으로 다가갔다.
그는 아름드리나무 뒤에 섰다.
풀밭 위에서 위엄있는 사슴과 젊은 사슴이 서로 싸우고 있었다. 뿔이 깨지는 소리를 냈다.

Kun klinitaj[33] kapoj la cervoj puŝis unu la alian. Iliaj korpoj estis streĉitaj kiel kordoj. Pantelej rigardis ilin atente. Iom post iom Majesta Cervo komencis laciĝi. Pantelej kompatis ĝin, sed ne povis helpi al ĝi. "La pli forta devas venki -diris li." Majesta Cervo haltis, retiriĝis, forkuris kaj malaperis en la arbaron.

"Jes -diris Pantelej - la jaroj pasis, venas iu, kiu estas pli forta."

Pantelej rememoris la tempon, kiam li estis juna kaj amindumis Elenan. Tiam li al neniu permesis amindumi ŝin.

Tamen tio estis tre delonge.

---

33) klin-i <他>기울이다, 경사지게 하다, (몸을)구부리다,(머리를)숙이다, (귀를)기울이다, (맘을)내키다, ...하고 싶어하다, 굴복케하다. kliniĝi, sinklini 굽히다, 기울어지다, 경사지다, 수그러지다, 굴복하다, 양보하다. klinrando 사면(斜面). deklino<天 >편각(偏角). deklini 경사(傾斜)지게 하다, 바른 길을 벗어나게 하다. dekliniĝi 바른 길을 벗어나다, 저버리다. dekliniĝo 편차(偏差), 바른 길을 벗어남, 사행(邪行). forklini 돌리다, 피하다, 전환하다(forklini la kapon 머리를 돌리다,외면하다). subklino <理.天>복각(伏角)

머리를 맞댄 채 사슴은 서로 밀어냈다.
그들의 몸은 줄처럼 팽팽했다.
판텔레이는 주의 깊게 그것들을 쳐다보았다.
조금씩 위엄있는 사슴이 지치기 시작했다.
판텔레이는 그를 동정했지만 도와줄 수가 없었다.
'더 강한 놈이 이겨야 한다.' 그는 말했다.
위엄있는 사슴은 멈추고 다시 당겨서 멀리 도망쳐 숲속으로 사라졌다.
'그래.' 판텔레이가 말했다.
'세월이 흘렀어. 더 센 놈이 왔어.'
판텔레이는 자신이 젊고 엘레나와 사귈 때를 기억했다.
그때 그는 누구에게도 그녀와 사귀는 것을 허락하지 않았다.
그러나 그것은 아주 오래전 일이었다.

24. HELPO

La suno kiel granda brilanta monero elnaĝis lante el la maro kaj la ondoj iĝis kuprokoloraj. La matena vento similis al kareso. La tago estos suna kaj trankvila. Radi prenis la fiŝhokon por ekiri al la maro. Pro la kronvirusa epidemio tutan semajnon li ne iris el la domo kaj lia animo jam terure suferis.

Longjara fiŝkaptisto li ne povis plu esti fermata hejme. La maro forte logis lin. Radi bone sciis, ke oni ne permesas iri el la domoj, sed lia tuta vivo estis ligita al la maro kaj li ne povis vivi, nevidante la bluan maran vastecon kaj ne flarante la odoron de algoj, de la salaj ondoj. Li diris al Maria, sia edzino:

-Mi iros!

Maria ne aprobis tiun ĉi lian decidon, sed ŝi ne povis kontraŭstari al li.

Radi ekiris. La urbeto silentis kvazaŭ neniu loĝus en ĝi.

La fenestroj de la domoj similis al grandaj timigitaj okuloj. La stratoj dezertis. Radi paŝis malrapide. Ĉe la bushaltejo, proksime al la maro, li vidis kuŝantan viron, kiu eble ĉi tie tranoktis.

도움

해는 커다랗게 빛나는 동전처럼 천천히 바다에서 헤엄쳐 나왔고 파도는 구릿빛이 되었다.
바닷바람은 어루만지는 듯했다.
낮에는 해가 비치고 조용할 것이다.
라디는 바다로 가려고 낚싯바늘을 챙겼다.
코로나 대유행 때문에 한 주 내내 집 밖으로 나가지 못해 그의 가슴은 이미 심히 고통스럽다.
오랜 세월 어부인 그는 더 집 안에서만 갇혀 있을 수 없었다.
바다는 세게 그를 유혹했다.
라디는 사람들이 집 밖으로 나가는 것을 금한다고 잘 알지만, 그의 모든 생활은 바다에 연결돼 있어 파란 바다의 광활함을 보지 않고는, 해초와 소금기 있는 파도의 향기를 맛보지 않고는 살 수 없었다.
그는 아내 **마리아**에게 말했다. "나는 갈 거야."
마리아는 그의 이런 결심을 동의하지 않지만 반대할 수 없었다.
라디는 출발했다.
작은 마을은 마치 그 안에 아무도 살지 않는 것처럼
조용했다.
집의 창들은 두려움에 떠는 커다란 눈과 같다.
도로는 황량하다. 라디는 천천히 걸어갔다.
바다 근처 버스 정류장에서 누워 있는 남자를 봤는데 아마 여기서 밤을 새운 것 같다.

Radi proksimiĝis al la mara bordo, staris sur la kajo kaj metis la fiŝhokon en la maron. De tempo al tempo li turnis sin kaj rigardis la viron, kiu daŭre sidis ĉe la bushaltejo.
Antaŭtagmeze Radi ekiris hejmen, preterpasante la bushaltejon. Li denove rigardis la nekontan viron, kiu eble estis tridekjara kaj ne similis al senhejmulo. Ja, li estis bone vestita kaj ĉe li staris vojaĝsako. "Kial li estas ĉi tie -demandis sin Radi. - Ĉu li atendas iun?"
La sekvan matenon la viro denove estis tie, ĉe la bushaltejo. Certe li denove tranoktis ĉi tie - supozis Radi, sed nun li demandis la viron:
-Amiko, ĉu vi atendas buson?
La viro levis kapon kaj ion respondis, sed Radi ne komprenis lin.
-De kie vi estas? - demandis Radi.
-De Norda Makedonio - respondis la viro. - Mi venis labori en hotelo "Mara Stelo", sed pro la epidemio la hotelo ne funkcias. Ĝi estas fermita kaj neniu estas en ĝi. Nun mi ne scias kion fari. Ĉi tie, en la urbeto, nenio funkcias, nek restoracioj, nek kafejoj, nek bankoj…
-Jes - murmuris Radi - pro la epidemio. Kiam vi alvenis?
-Ĵus, kiam oni fermis ĉion.

라디는 바닷가 부두에서 바닷물에 낚싯대를 드리웠다. 때로 고개를 돌려 여전히 버스 정류장에 앉아 있는 남자를 쳐다보았다.
오전에 라디는 버스 정류장을 지나쳐 걸어서 집으로 갔다. 그는 다시 낯선 남자를 바라보았는데, 아마 30세쯤 될까 노숙자 같지는 않았다.
정말 그는 잘 차려입고 옆에는 여행용 가방이 있었다. 라디는 궁금했다.
'왜 여기에 있지? 누구를 기다리나?'
다음 날 아침 남자는 다시 버스 정류장 옆에 있었다. 분명히 또 여기서 밤을 새운 것이라고 라디는 짐작하고, 이번에는 남자에게 물어봤다.
"젊은이, 버스를 기다리나요?"
남자는 고개를 들고 무엇이라고 대답했지만 라디는 알아듣지 못했다.
"어디서 왔나요?" 라디가 물었다.
"북마케도니아에서요." 남자가 대꾸했다.
"저는 호텔 **'바다별'** 에서 일하려고 왔지만, 코로나 대유행 때문에 호텔이 쉬어요.
그것이 닫혀 있고 그곳에는 아무도 없어요.
지금 저는 무엇을 할지 모릅니다. 여기 작은 도시에 식당, 카페, 은행 등 아무것도 없어요."
"예" 라디는 중얼거렸다.
"대유행 때문에. 언제 도착했나요?"
"얼마 전에요. 사람들이 모든 것을 닫았을 때부터.

Jam du tagojn mi estas ĉi tie.

Neniun mi konas en la urbo.

-Ĉu vi manĝis ion? - demandis Radi.

-Nenion. Mi havas monon, sed la bankoj ne funkcias[34] kaj mi ne povas ŝanĝi ĝin. La restoracioj same ne funkcias…

-Eble vi mortos ne pro la epidemio, sed pro malsato - diris Radi.

La viro ridetis malĝoje.

-Atendu min. Mi venos kaj portos al vi ion por manĝi.

Radi rapide ekiris hejmen. Post nelonge li revenis kaj donis al la viro panon, fromaĝon, kolbason.

-Manĝu - diris Radi.

-Dankon, koran dankon, amiko - la viro ekridetis kaj liaj nigraj kiel mirteloj okuloj ekbrilis.

34) funkci-i <自> 기능(작용)을 하다.(일을 · 활동을)하다, 직분(임무)를 다 하다 funkcio 직무, 임무, 기능, 직능, 작용; 관능(官能);<數> 함수(函數). funkciul[ist]o 직원, 실무자(實務者). funkciismo 기능주의(機能主義).

벌써 이틀간 여기 있습니다.
도시에서 아무도 알지 못합니다."
"뭔가 먹었나요?" 라디가 물었다.
"아무것도. 돈은 있어요.
하지만 은행이 쉬어서 그것을 바꿀 수 없어요.
식당도 마찬가지로 쉬고요."
"아마 젊은이는 대유행 때문이 아니라 배고파서 죽겠네요." 라디가 말했다.
남자는 슬프게 되풀이했다.
"기다려요.
내가 가서 무언가 먹을 것을 가지고 올게요."
라디는 서둘러 집으로 갔다.
얼마 있다가 다시 돌아와 남자에게 빵, 치즈, 소시지를 주었다.
"먹어요." 라디가 말했다.
"감사합니다. 정말 감사합니다. 아저씨!"
남자는 조그맣게 되풀이하며 귤나무처럼 검은 눈이 반짝였다.

25. LA LUPGVIDANTO

Tiu ĉi vintro estas tre malvarma. La kampo vastiĝas kiel senfina blanka dezerto, dormanta sub la dika neĝkovrilo. La arboj surhavas blankajn peltojn, la montpintoj – arĝentas. La lupoj estas malsataj.

En vilaĝo Srebrovo aperis luparo kaj disŝiris du ŝafojn de Pavel Horozov. La vilaĝanoj ektimiĝis, komencis ŝlosi la pordojn de la kortoj. Ja, la vilaĝo estas en la montaro. Nokte la vilaĝaj hundoj terure bojas, sed la luparo ne timas la hundojn.

La malsato igas la lupojn kruelaj. La grandaj hundoj ne kuraĝas ataki ilin.

La luparo ankoraŭ kelkfoje venis en la vilaĝon kaj la vilaĝanoj decidis urĝe agi. En Srebrovo ne estis multaj viroj kaj tial oni petis helpon de la najbara vilaĝo Gorni Rid, kie loĝis ĉasistoj. La plej fama ĉasisto en la regiono estis Atanas Deliev.

Kelkaj viroj el Srebrovo iris en Gorni Rid kaj rakontis kio okazis.

-Ni pelĉasu la lupojn – diris Atanas Deliev. – Nur tiel ni forpelos ilin.

늑대 지도자

이번 겨울은 몹시 춥다.
들판은 끝없이 하얀 사막처럼 넓고 두꺼운 눈을 이불 삼아 자고 있다.
나무들은 하얀 털옷을 입고 산꼭대기는 은빛이다.
늑대는 배가 고프다.
스레브로보 마을에 늑대 무리가 나타나 **파벨 호로라브**의 양 두 마리를 잡아 찢어 죽였다.
마을 사람들은 두려워 마당 문을 잠그기 시작했다.
정말 마을은 산골에 있다.
밤에 마을 개들은 사납게 짖지만, 늑대 무리는 개를 무서워하지 않는다.
배고파서 늑대는 잔인해진다.
큰 개들도 감히 그들을 공격하지 못한다.
여전히 늑대 무리는 몇 번 마을에 와서 마을 주민들은 시급히 행동하기로 다짐했다.
스레브로보에는 남자들이 많지 않아 사냥꾼이 사는 이웃 **고르니 리디** 마을에 도움을 청하기로 했다.
그 지역의 가장 유명한 사냥꾼은 **아타나스 데리에브**다.
스레브로보에서 남자 몇 명이 고르니 리디에 가서 무슨 일이 일어났는지 이야기했다.
"우리가 늑대를 쫓아내도록 사냥합시다." 아타나스 데리에브가 말했다.
"오직 그렇게 해야 우리가 그것들을 쫓을 겁니다."

Deliev estis alta forta viro kun tatarformaj okuloj kaj hararo simila al erinacaj pikiloj. Antaŭe li estis oficiro kaj loĝis en la urbo, sed venis loĝi en Gorni Rid, kie li naskiĝis.
La ĉasistoj el Gorni Rid venis en Srebrovon. Ili decidis la sekvan tagon iri en la arbaron, tamen dum la nokto la lupoj denove invadis Srebrovo kaj denove malaperis ŝafo.
La sekvan tagon matene Atanas Deliev kaj la ĉasistoj ekiris post la lupaj spuroj. Evidentiĝis, ke la lupoj estis tre malsataj, ĉar ili tuj manĝis la ŝafon.
-Ili estas kvin - diris Deliev. - Ŝajne ilin gvidas juna forta lupo. En la luparo estas lupino, kiu naskis kaj la tuta luparo nun zorgas pri la lupetoj.
Deliev bone konis la vivon de la lupoj kaj li sciis, ke vintre lupinoj naskas tri-kvar lupetojn, sed la lupino estas malsata kaj ne povas mamnutri ilin. Tial la tuta luparo nutras la lupetojn. Kiam la lupoj akiras predon, ili maĉas la viandon, poste ili elsputas ĝin kaj la lupetoj manĝas.
"Kial la homoj ne similas al lupoj -meditis Deliev. - Estas virinoj, kiuj forlasas siajn idojn tuj, kiam ili naskas." Ĉe la lupoj estis io, kio mirigis Deliev. Kiam la lupoj iĝas trijaraj ili pariĝas.

데리에브는 키가 크고 건강하며 타타르 형태의 눈과 고슴도치 가시 같은 머리카락을 가진 남자다.
전에 그는 사무원으로 도시에 살았지만. 태어난 고르니 리디에 살러 왔다.
고르니 리디 마을에서 사냥꾼들이 스레브로보에 왔다. 그들은 다음날 숲으로 가려고 마음먹었는데 밤사이 늑대가 다시 스레브로보를 침입해 또 양이 없어졌다.
다음 날 아침 아타나스 데리에브와 사냥꾼은 늑대 흔적을 따라갔다.
늑대는 금세 양을 먹은 것으로 보아 아주 배가 고픈 것이 분명했다.
"그것들은 다섯 마리다." 데리에브가 말했다.
"젊고 힘센 늑대가 통솔하고 있는 것 같아.
늑대 무리에는 새끼를 낳은 암늑대가 있고 모든 무리는 새끼 늑대들을 지금 돌보고 있어."
데리에브는 늑대의 생활을 잘 알고 겨울에 암늑대가 서너 마리 새끼를 낳는다고 알지만, 암늑대는 배가 고파서 그것들에 젖을 먹일 수 없다.
그래서 모든 늑대 무리가 새끼 늑대를 키운다.
늑대가 먹이를 얻을 때 그들은 고기를 씹고 나중에 내뱉으면 새끼 늑대가 먹는다.
'왜 사람들은 늑대 같지 않을까?' 데리에브는 깊이 생각했다.
'여자들이 자녀를 낳고 곧 떠나버린다.'
늑대에게는 데리에브를 놀라게 하는 무언가가 있다.
늑대는 세 살이 될 때 짝을 이룬다.

La lupino elektas la plej fortan lupon el la luparo kaj la paro ne disiĝas ĝis la morto. "Bedaŭinde - meditis Deliev - la homoj tre facile disiĝas." Deliev estis juna kiam edziĝs.
Rajna, lia edzino, naskis la filon Veselin kaj post du jaroj ŝi enamiĝis al iu ŝoforo de aŭtobuso kaj forlasis Deliev. Tiam Deliev venis loĝi en Gorni Rid kaj iĝis ĉasisto. Li vagis tra la arbaro kaj observis la vivon de la bestoj. Jen, la lupoj atakas nur kiam ili estas malsataj. Ili povas malsati dum naŭ-dek tagoj. Kiam la lupoj akiras predon, unue manĝas la lupgvidanto kaj nur poste la aliaj lupoj.
Deliev miris pro tiu ĉi lupa instinkto. Tio ne estas ĉe la homoj. Ili ĉiuj avide strebas akiri ion el la komuna havaĵo. Ĉe la lupoj la plej grava estas la lupgvidanto, kiu gardas la luparon kaj defendas ĝin.
Deliev diris:
-Ni logos la lupojn. Ili estas malsataj kaj denove venos.
La ĉasistoj metis viandpecojn, proksime al la arbaro kaj preparis sin atendi la lupojn. Deliev bone pripensis ĉion kaj lokigis la ĉasistojn antaŭ la arbaro.

암늑대가 늑대 무리에서 가장 힘이 센 늑대를 골라서 죽을 때까지 헤어지지 않는다.
'아쉽게도 사람들이 너무 쉽게 헤어진다.' 데리에브는 깊이 생각했다.
그는 젊어서 결혼했다.
아내 **라이나**는 아들 **베셀린**을 낳고 이년 뒤 어느 버스 운전사와 사랑에 빠져 데리에브를 떠났다.
그때 데리에브는 고르니 리디에 살러 와서 사냥꾼이 되었다.
그는 숲을 헤매며 동물들의 생활을 살폈다.
여기서 늑대는 오로지 배가 고플 때만 공격한다.
그들은 구일이나 열흘간 허기를 참을 수 있다.
늑대가 먹이를 얻을 때 먼저 늑대 지도자가 먹고 그다음에 다른 늑대가 먹는다.
데리에브는 늑대의 이런 본능 때문에 놀랐다.
그것은 사람한테는 없는 일이다.
그들은 모두 공동소유재산에서 무언가 가지려고 욕심내며 애를 쓴다.
늑대에게서 가장 중요한 것은 늑대 무리를 안내하고 보호하는 늑대 지도자다.
데리에브는 말했다. "우리는 늑대를 유인할 거야. 그들은 배가 고파서 또 올거야."
사냥꾼들은 고기 조각들을 숲 근처에 두고 늑대를 기다리기로 준비했다.
데리에브는 모든 것을 잘 생각하고 숲 앞으로 사냥꾼의 자리를 옮겼다.

Dum ili atendis la lupojn, Deliev meditis ĉu la lupgvidanto divenos la embuskon kaj provos savi la luparon. Tio dependis de la lupmalsato. Se la lupoj estas malsataj, ili ne estus singardemaj. La malsato gvidos ilin al la vilaĝo.

La lupoj tamen aperis nek la unua, nek la dua tago. La ĉasistoj supozis, ke ili direktiĝis al alia vilaĝo, sed Deliev antaŭsentis, ke la lupoj estas proksime. Eĉ ŝajnis al li, ke la lupgvidanto observas la ĉasistojn de ie. Jes, la malsato turmentas ĝin, sed ĝi ne kuraĝas gvidi la lupojn al la vilaĝo.

Verŝajne nun la lupgvidanto staras malantaŭ iu arbo kaj rigardas la ĉirkaŭaĵon. Io maltrankviligas ĝin. La lupo flaras, perceptas la viandodoron, sed ne kuraĝas ekiri.

Deliev ankaŭ atendas. Li deziras vidi kiu estos pli pacienca - ĉu li aŭ la lupgvidanto? Deliev havas sperton, pafilon, sed la lupo havas pli bonan instinkton, ĝi estas pli rapida, pli kruela. Kio estas pli utila - ĉu la sperto, la pafilo aŭ la instinkto, la rapideco, la kruelo?

La tempo pasas, la minutoj similas al pluvgutoj, falantaj ritme kaj malrapide. Eble la lupoj ne venos. Eble ili ie trovis nutraĵon kaj nun trankvile ili estas en la densa arbaro.

그들이 늑대를 기다리는 동안 데리에브는 늑대 지도자가 매복을 눈치채고 늑대 무리를 구하려고 할 것인지 생각했다. 그것은 늑대의 배고픔에 달려 있다.
늑대의 배가 고프다면 절제할 수 없을 것이다.
배가 고파서 그들은 마을로 올 것이다.
늑대는 첫날에도 둘째 날에도 나타나지 않았다.
사냥꾼들은 그들이 다른 마을로 향했다고 짐작했지만, 데리에브는 늑대가 가까이 있다고 예감했다.
어딘가에서 늑대 지도자가 사냥꾼들을 살피고 있는 것처럼 느껴졌다.
정말 배고픔이 그들을 괴롭게 했지만, 늑대들을 마을로 감히 이끌지 못한다.
정말 늑대 지도자는 지금 어느 나무 뒤에서 주변을 살피고 있는 것 같다. 무언가가 그를 불안하게 만들었다.
늑대는 고기 냄새를 맡고 알았지만, 감히 출발하지 못한다. 데리에브도 역시 기다린다.
그는 누가 더 참을성이 있는지, 그인지 늑대 지도자인지 보고 싶다.
데리에브는 경험과 총을 가지고 있지만, 늑대는 더 빠르고 더 잔인한 좋은 본능을 가지고 있다.
무엇이 더 유용할까? 경험, 총이냐, 본능, 속도, 잔인성이냐?
시간은 지나고 분들은 규칙적으로 천천히 떨어지는 빗방울 같다.
아마 그들은 어딘가에서 먹을 것을 찾아 지금 깊은 숲속에서 편안하게 있을 것이다.

Tamen subite io aperas en la malproksimo. Jes, ili estas – unu, du, tri, kvar, kvin. Ili iras senbrue. Gvidas ilin la lupgvidanto, kiu estas granda, forta, facilmova. Post ĝi iras la lupino, iom pli malgranda ol ĝi. La lupino ĉiam estas ĉe la lupgvidanto, rigardas ĝin, kvazaŭ ĝi vekus fortojn en la lupgvidanto. La luparo iras malrapide. Videblas, ke la lupoj estas maltrankvilaj.

La malsato turmentas ilin. Jen ili estas jam proksime. La korbatoj de Deliev iĝas pli rapidaj. Lia buŝo sekiĝas. Ankoraŭ iomete kaj la lupoj estos ĉe la viandpecoj.

La lupgvidanto komencas manĝi la viandon. La aliaj lupoj staras malantaŭ ĝi kaj atendas. Kiam la lupgvidanto satmanĝos, tiam ili komencos manĝi.

Deliev tiras la ĉankroĉilon de la pafilo. La pafo eksonas kiel tondro. La lupgvidanto eksaltas kaj falas pafita sur la neĝo.

Eksonas aliaj pafoj. Du lupoj falas. La aliaj lupoj forkuras.

Aŭdiĝas ankoraŭ kelkaj pafoj. Deliev proksimiĝas kaj rigardas la pafitan lupgvidanton. Tian belan lupon li ne vidis ĝis nun. Ĝi estas granda, forta.

하지만 갑자기 멀리서 무언가가 나타났다.
정말 그들이다.
한 마리, 두 마리, 세 마리, 네 마리, 다섯 마리.
그것들은 소리 없이 간다.
크고 힘이 세고 민첩하게 걷는 늑대 지도자가 그들을 이끌고 있다.
그를 뒤따라 그것보다 조금 작은 암늑대가 간다.
암늑대는 항상 늑대 지도자 옆에서 마치 늑대 지도자에게 힘을 깨우듯 그를 쳐다본다.
늑대 무리는 천천히 간다. 늑대는 불안한 듯 보인다.
배가 고파서 그들은 괴롭다.
여기서 그들은 벌써 가까이 왔다.
데리에브의 심장박동은 더 빨라 졌다.
그의 입술은 말랐다.
아직 조금씩 늑대는 고기 조각 근처까지 왔다.
늑대 지도자가 고기를 먹기 시작했다.
다른 늑대들은 그것 뒤에 서 있고 기다린다.
늑대 지도자가 배부르게 먹을 때 그때 그들은 먹기 시작할 것이다. 데리에브는 총의 방아쇠를 당긴다.
총이 천둥처럼 소리를 냈다.
늑대 지도자는 펄쩍 뛰더니 총을 맞고 눈 위에 쓰러졌다. 다른 총소리가 났다. 두 마리 늑대가 쓰러졌다.
다른 늑대들은 도망친다. 여전히 몇 발의 총소리가 난다.
데리에브는 가까이 가서 총에 맞은 늑대 지도자를 쳐다본다. 지금껏 그렇게 멋진 늑대를 본 적이 없다.
그것은 크고 힘이 세다.

Ĝiaj okuloj estas malfermitaj kaj kvazaŭ la lupo rigardus Deliev, montrante al li sian forton kaj ĝi dirus:
"Jen, mia lupino restis ĉe mi, sed via edzino delonge jam forkuris de vi."
-Ĝi estis vera lupgvidanto[35] - diras Deliev al la ĉasistoj kaj ekiras al la vilaĝo.

35) gvid-i <他> 인도하다, 안내하다, 길을 안내하다; 지도하다, 교도하다, 영도(領導)하다. gvidanto 지도자, 영도자, 영수(領袖). gvidisto (직업적)안내인, 관광 안내인. gvidilo 손잡이(자동차・전차 등); 안내. gvidlibro 안내서, …지남(指南), 지도서. gvidlumilo <海・空> 유도등(誘導燈). gvidmotivo 중심목적(中心目的).

눈은 떠 있어 마치 그 힘을 표시하며 데리에브를 바라보고 말하는 것 같다.

“여기 나의 암늑대가 내 곁에 있어.
그러나 당신 부인은 이미 오래전에 떠나 도망쳤어.”

“그것은 진정한 늑대 지도자였구나.”

데리에브는 사냥꾼들에게 말하고 마을로 출발했다.

26. MIA DORKO

Mi tre bone memoras la malhelan aprilan tagon, kiam nia ĉevalino naskis ĉevalidon. Tiam la ĉielo similis al griza pelerino, pluvetis kaj malvarma vento lulis la arbobranĉojn.

Vesperiĝis, paĉjo helpis la ĉevalinon naski. Kiam la ĉevalido naskiĝis, okazis io tute neatendita. La ĉevalino komencis mordi kaj piedbati la ĉevalidon. Paĉjo estis konsternita. La povra ĉevalido apenaŭ staris sur siaj maldikaj, malfortaj piedoj kaj ŝanceliĝis tien-reen. La ĉevalino ne permesis al ĝi suĉi. Ni ne komprenis kio okazis. Ni sciis, ke ĉe ĉevalinoj la patrina instinkto estas tre forta, sed kial nia ĉevalino ne akceptis sian idon?

Paĉjo, kiu jam de sia infaneco, okupiĝas pri ĉevaloj, miris.

-La ĉevalido mortos - diris paĉjo triste. - Ĝi ne suĉos.

Tiuj ĉi vortoj de paĉjo timigis min.

-Paĉjo - diris mi - ni provu savi ĝin.

Paĉjo alrigardis min kaj kuntiris brovojn.

-Bone. Ni provu.

Mi ekĝojis. Mi nomis la ĉevalidon Dorko. Ĝi estis en alia ĉevalejo, malproksime de la ĉevalino.

나의 도르코

나는 우리 집 암말이 새끼를 낳은 어두운 4월의 하루를 아주 잘 기억한다.
그때 하늘은 회색 목도리 같고 조금씩 비가 오고 차가운 바람이 나뭇가지를 흔들었다.
저녁이 되자 아빠는 암말이 새끼 낳는 것을 도와주었다.
새끼가 태어날 때 전혀 예기치 않은 무슨 일이 생겼다.
암말이 망아지를 깨물고 발로 차기 시작했다.
아빠는 놀랐다. 불쌍한 망아지는 마르고 힘없는 발로 겨우 서서 이리저리 비틀거렸다.
암말은 망아지가 젖을 먹도록 가만두지 않았다.
우리는 무슨 일인지 전혀 이해하지 못했다.
우리는 암말에게 모성애가 아주 강하다고 알고 있었다.
그런데 왜 우리 암말은 자기 새끼를 받아들이지 않을까? 아빠는 이미 어릴 때부터 말을 돌보았지만, 깜짝 놀랐다.
"망아지가 죽겠구나." 아빠는 슬프게 말했다.
"젖을 빨 수 없어."
아빠의 이 말이 나를 놀라게 했다.
"아빠!" 내가 말했다. "우리가 그것을 살려 봐요."
아빠는 나를 쳐다보더니 눈썹을 찡긋했다.
"좋아, 해 보자."
나는 기뻤다. 나는 망아지를 **도르코**라고 불렀다.
도르코는 암말에게서 멀리 떨어져 다른 마구간으로 옮겨놓았다.

Mi komencis nutri Dorkon per granda suĉbotelo plena je lakto. Dorko timis min, tremetis, sed iom post iom ĝi kutimiĝis al mi. Kiam ĝi vidis min, tuj ĝi svingis la voston kaj ekhenis, kvazaŭ ĝi deziris saluti min.
Dorko rigardis min, klinis la kapon kaj mi karesis ĝian molan kolhararon. La korpo de la ĉevalido agrable odoris kaj longe mi staris ĉe ĝi, karesante ĝin.
Mi estis la plej juna en la familio. Miaj du fratoj Peter kaj Asen estis pli aĝaj ol mi kaj ili eĉ ne rimarkis min. Miaj fratoj helpis al paĉjo, laboris kaj ili ne havis tempon por mi.
Tial Dorko iĝis mia amiko. Iom post iom Dorko plifortiĝis. Mi komencis paŝti ĝin. La printempa verda herbo tre plaĉis al ĝi.
Mi iris kun Dorko al herbejo, ekster la vilaĝo. Ĝi paŝtiĝis kaj mi sidis sub arbo, legante libron.
Dorko similis al infano. Ĝi kuris, saltis, rondiris sur la herbejo, poste ĝi venis al mi kaj tuŝetis min per sia buŝego. Tiel Dorko salutis min kaj kvazaŭ dirus al mi: "Ĉu vi vidas kiel rapide mi kuras. Venu, ni konkuru."
Mi karesis ĝn, dirante:
-Ni ne povas konkuri. Ci estas rapida kiel vento. Tamen ne nur rapida, sed bela.

나는 우유가 가득 찬 큰 젖병을 가지고 가서 도르코에게 먹이기 시작했다. 처음에 도르코는 나를 무서워하며 떨었지만 조금씩 내게 익숙해졌다. 나를 볼 때 금세 꼬리를 흔들고 마치 나에게 인사하고 싶어 하듯 휭— 하고 울었다. 도르코는 나를 보고 고개를 기대고 나는 그의 부드러운 목털을 쓰다듬었다.
망아지의 몸에서 상쾌한 냄새가 나서 그것을 쓰다듬으며 나는 오랫동안 그 옆에 서 있었다.
나는 우리 가족 중 가장 어리다.
나의 두 형 **페테르**와 **아젠**은 나보다 나이가 많아 그들은 나를 아는 체도 안 한다.
내 형들은 아빠를 도와 일하느라 나와 놀 시간도 없다.
그래서 도르코가 내 친구가 되었다.
조금씩 도르코는 힘이 세졌다.
나는 그것에 풀을 먹이기 시작했다.
봄날의 푸른 풀을 그것은 아주 좋아했다.
나는 도르코와 함께 마을 외곽 풀밭으로 갔다.
그것은 풀을 뜯고 나는 책을 읽으며 나무 아래 앉아 있다. 도르코는 아이 같았다. 혼자서 달리고 뛰고 풀밭 위에서 원을 그리고, 나중에 내게 와서 주둥이로 나를 조그맣게 핥는다. 그렇게 도르코는 내게 인사했다.
마치 내게 말하는 것처럼.
"내가 얼마나 빨리 달리는지 보았니? 이리 와 나와 같이 경주하자." 나는 말하면서 그것을 쓰다듬었다.
"우리는 경주 할 수 없어.
너는 바람처럼 빨라. 빠른 것뿐만 아니라 예뻐.

Ne estas pli bela ĉevaleto ol ci. Ci estas mia kara ĉevaleto.
Dorko vere estis tre bela. Ĝiaj kruroj - sveltaj, ĝia korpo - glata kaj brila. Dorko estis nigra, sed ie-tie sur ĝia dorso videblis blankaj makuloj. Ĝia kapo ĉiam estis levita kaj kiam ĝi rigardis min per siaj grandaj okuloj, kvazaŭ homo rigardus min. Dum mi parolis al Dorko, ĝiaj oreloj moviĝis kaj mi havis la impreson, ke ĝi komprenas min.
La tempo pasis. Dorko iĝis pli granda kaj pli forta. Foje mia frato Peter decidis jungi Dorkon al la veturilo.
-Ci devas jam labori - diris Peter. - Ni nutras cin. Ci ne estas por ekspozicio.
Dorko tamen kontraŭstaris. Ĝi ne permesis esti jungita. Tio kolerigis Peteron. Li levis la vipon kaj komencis bati Dorkon. Mi kriegis al Peter kaj kaptis lian brakon.
-Ne batu ĝin! - ploris mi. - Oni ne devas bati ĉevalon!
La ĉevaloj estas kiel ni - vivaj estaĵoj.
Ege kolera, ruĝa pro rankoro Peter forpuŝis min.
-For de ĉi tie, bubaĉo. Nenion vi scias pri la ĉevaloj.
La grizaj okuloj de Peter lumis kiel la okuloj de mustelo kaj li pretis eĉ bati min per la vipo.

너보다 더 예쁜 망아지는 없어.
너는 나의 사랑스러운 망아지야."
도르코는 정말 아주 예뻤다.
다리는 날씬하고 몸은 미끈하고 빛이 났다.
검은 털을 가진 도르코는 등 위 여기저기에 하얀 얼룩이 보였다. 머리는 항상 들고 있고 큰 눈으로 나를 쳐다볼 때 마치 사람이 나를 보는 듯했다.
내가 도르코에게 말하는 동안 귀가 움직여 내 말을 알아듣는다는 인상을 받았다.
시간이 지났다. 도르코는 점점 커지고 힘이 세졌다.
한번은 내 형 페테르가 도르코를 수레에 채우기로 마음먹었다.
"너는 이제 일을 해야 해." 페테르가 말했다.
"우리가 너를 먹였어. 너는 전시용이 아니야."
하지만 도르코는 반항했다.
도르코는 페테르가 멍에를 메도록 가만있지 않았다.
그래서 페테르는 화가 났다.
그는 채찍을 들고 도르코를 때렸다.
나는 페테르에게 고함을 치며 그의 팔을 잡았다.
"때리지 마요." 내가 울었다. "말을 때려서는 안 돼요. 말도 우리와 같이 살아 있는 존재예요."
크게 화가 나고 앙심 때문에 붉어진 페테르가 나를 밀쳐냈다. "여기서 나가, 장난꾸러기야!
너는 말에 대해 아무것도 몰라."
페테르의 회색 눈은 족제비 눈처럼 빛이 나고 회초리로 나를 때리려고까지 했다.

Plorante mi kaŝis min hejmen.

Post kelkaj tagoj Peter sukcesis subigi Dorkon, jungi ĝin en la veturilo kaj laborigis ĝin. Ĉiun matenon Peter per la ĉevalveturilo kolektis lakton el la vilaĝanoj kaj veturigis la ladbotelegojn da lakto al la fromaĝproduktejo. Vespere, kiam Peter revenis hejmen, mi tuj iris en la ĉevalejon al Dorko. Mi karesis ĝin kaj rakontis al ĝi kie mi estis dum la tago kaj kion mi faris. Dorko tuŝetis min per buŝego kaj ĝoje henis.

Foje hejme ekestis tumulto. Kelkaj viroj alportis Peteron kaj kuŝigis lin en la liton.

-Kio okazis? - demandis panjo, timigita kaj palvizaĝa kiel blanka tolo.

-Dorko piedbatis lin kaj li svenis.

-Kiam? - demandkriis panjo.

-Nun. Li venis en la bienon kaj komencis preni la ladbotelegojn el la veturilo. Li klinis sin kaj en tiu ĉi momento la ĉevalo forte piedbatis lin. Feliĉe ni estis proksime, ni helpis lin kaj tuj ni vokis kuraciston.

Venis paĉjo ege maltrankvila. Li ekstaris ĉe la lito, kie kuŝis Peter kaj diris:

-Peter, vi ne devis bati la ĉevalon. La ĉevaloj memoras kaj ne forgesas kiu batis ilin. Ili venĝas sin.

울면서 나는 집 안으로 들어가 숨었다.
며칠 뒤 페테르는 도르코를 굴복시키는 데 성공해서 수레에 멍에를 연결해 일하도록 만들었다.
매일 아침 페테르는 말수레를 타고 마을에서 우유를 모아 우유가 가득한 커다란 양철 병을 치즈 공장으로 가지고 갔다.
저녁에 페테르가 집에 돌아올 때 나는 곧 마구간에 있는 도르코에게 갔다.
나는 그것을 어루만지고 오늘 내가 하루 동안 어디에 있었는지 무엇을 했는지 이야기했다.
도르코는 주둥이로 나를 핥으며 기쁘게 횡- 울었다.
한 번은 집에 소동이 일어났다.
남자 몇 명이 페테르를 데리고 와서 침대에 눕혔다.
"무슨 일이요?" 엄마가 놀라서 하얀 수건처럼 창백한 얼굴로 물었다.
"도르코가 그를 발로 차서 정신을 잃었어요."
"언제?" 엄마가 소리치며 물었다.
"지금요. 그가 농장에 와서 수레에서 큰 양철 병을 잡기 시작했어요. 그가 고개를 숙이자 이 순간 말이 갑자기 그를 발로 찼어요. 다행스럽게 우리가 가까이 있어서 그를 도와 곧 의사를 불렀어요."
아빠는 크게 걱정하며 오셨다.
그는 페테르가 누워 있는 침대 옆에 서서 말했다.
"페테르, 네가 말을 때리지 말았어야 했구나.
말은 절대 자기를 때린 사람을 잊지 않고 기억해.
복수한 거야."

Mi meditis: eble Dorko memoras same kiu amas ĝin.

-Mi vendos[36] ĝin - diris paĉjo. - Jam de ĝia naskiĝo estas problemoj.

Tuj mi deziris ekkrii: mi ne permesas vendi Dorkon, sed mi bone sciis, ke paĉjo tute ne konsentos kun mi. Li firme decidis vendi Dorkon. Tio videblis en liaj okuloj, kiuj brilis kiel ŝtalaj tranĉiloj.

Post semajno Dorko estis vendita kaj kvazaŭ io el mia memo malaperis por ĉiam. Io elflugis el mia koro kaj mi sentis ĝin malplena. Io, kio dum tiom da tempo varmigis min.

Vespere ofte mi iris en la ĉevalejon, kie iam estis Dorko, sed la ĉevalejo malplenis. Ĉiam mi esperis, ke iun vesperon Dorko revenos kaj mi tuj ĉirkaŭbrakos ĝin. Ja, mi sciis, ke la ĉevaloj memoras kie ili loĝas. Nia najbaro, oĉjo Rajko, ŝatas drinki.

---

36) vend-i [G4] 팔다, 매도(賣渡)하다, 판매(販賣)하다. vendo, vendado 판매, 매각, 매매, 거래 ; 매상(賣上) ; 경매, 대매출(大賣出). vendiĝi 팔리다. vendotablo 계산대(臺), 물건파는 대(臺). elvendi <他> 출매(出賣)하다 ; 방매(放賣)하다. elvendiĝi 다 팔리다, 매진(賣盡)되다 ; (대)만원되다. elvendita 팔린. forvendi <他> 팔아 버리다. revendi <他> 다시 팔다, 되팔다, 소매(小賣)하다. revendataĵo 고물(古物). revendisto 고물상(인) =brokanto. vagvendisto 행상(行商), 보따리 장수, 도붓장수. nevendeblaĵo 비매품(非賣品).

나는 깊이 생각했다.
아마 도르코는 마찬가지로 누가 자기를 사랑하는지 기억한다.
"그것을 팔아야겠구나." 아빠가 말했다.
"이미 태어날 때부터 문제가 있었어."
바로 나는 소리 지르고 싶었다.
"도르코를 팔 수 없어요."
하지만 아빠가 내 의견에 동의하지 않을 것을 잘 안다.
그는 단호하게 도르코를 팔기로 마음먹었다.
쇠로 된 가위처럼 반짝이는 눈에서 그것을 볼 수 있다.
일주일 뒤 도르코는 팔리고 내 속에서 무엇인가가 영원히 없어진 듯했다.
내 속에서 뭔가가 빠져나가 나는 텅 빈 것을 느꼈다.
그렇게 오랜 시간 나를 따뜻하게 했던 그 무엇.
저녁에 자주 나는 도르코가 예전에 있었던 마구간에 갔다. 그러나 마구간은 텅 비어 있었다.
어느 날 도르코가 돌아와 내가 금세 그것을 껴안아 주는 것을 항상 바랬다.
정말 말은 어디에 살았는지 기억한다고 나는 안다.
우리 이웃 **라이코** 아저씨는 술 마시기를 좋아했다.

Kiam li drinkas en la vilaĝa drinkejo, poste li sidas en la ĉevalveturilo, iom li dormetas kaj lia ĉevalo senerare tiras[37] la veturilon hejmen.
Dorko ne revenis. Neniam plu mi vidis ĝin. Mi ne scias al kiu paĉjo vendis ĝin.
Foje, foje nokte mi sonĝas pri Dorko.
En la sonĝo mi vidas ĝin. Dorko senzorge galopas, flugas super la tero kaj de ĝiaj hufoj aperas ruĝaj fajreroj.

37) tir-i <他> 끌다, 당기다, 끌어당기다, 잡아끌다, (그물 따위를) 당겨 올리다, (고삐 . 재갈 따위를)잡아당기다, 견인(牽引)하다, 흡수하다, 흡인(吸引)하다, …의 마음[주의 . 이목(耳目)따위를] 끌다;(수레 같은 것, 손님, 인기 등을)끌다;(불행 따위를)초래하다, 가져오다;(물건을)잡아빼다, 뽑아내다;(칼 . 권총 따위를 집에서)빼다;빼재다;(제비 . 화토 등을)뽑다;(근원으로부터)끌어내다, 얻다;<醫>(고약이)빨아내다;부추겨내다, 도출(導出)해내다(사실 따위를);잡아늘이다, 길게늘이다. altiri<他>흡인(吸引)하다, detiri<他>잡아떼다, 떼어버리다. eltiri<他>뽑다, 이끌어 내다, 뽑아내다, 짜내다, 채굴(採掘)하다, 채취하다. entiri<他>끌어당기다[들이다], 잡아 당기다. fortiri<他>끌어가다;(손 따위를)움츠러 뜨리다;(군대를)철퇴시키다;(특권으로)빼앗아 버리다;(신청 . 진술 . 약속등을)철회하다;(소송을)취소하다. kuntiri<他>오므러 들다, 위축(畏縮)하다, 주름잡히게 하다, 찡그리다. retiri<他>철회(撤回)하다, 회수(回收)하다;<軍>철퇴하다;움츠리다(내민 손 등을). sin retiri, retiriĝi 물러가다;물러서다, 퇴출(退出)하다;(회 등에서)물러나다;탈퇴(脫退)하다;(군대가)철퇴하다. sintiri 힘들여 전진(前進)하다;갈망(渴望)하다, 이끌고 가다. tiro 들여 마시는(吸) 또는 잡아당기는 동작 또는 그 결과(eltrinki per unu tiro 한 모금에 다 마시다. tiro de krajono 연필의 한 획). tirilo 뽑이, 잡아 당기는 기구(器具). tirforto 인장력(引張力). tirharmoniko =akordiono. tirkesto 서랍. suprentiri<他>끌어올리다. surtiri<他>(장갑 . 모 등을)끼다, 쓰다;위로 잡아 당기다.

마을 술집에서 술을 마실 때 나중에 말수레에 앉아서 조금 졸다 보면 그의 말은 실수 없이 수레를 집으로 이끈다.
도르코는 돌아오지 않았다.
결코, 다시는 그것을 보지 못했다.
아빠가 누구에게 그것을 팔았는지 나는 모른다.
한 번은 밤에 도르코 꿈을 꾸었다.
꿈에서 그것을 보았다.
도르코는 걱정 없이 뛰고 땅 위를 날아가고 발굽에서는 빨간 불꽃이 나타났다.

27. LA KNABINO, KIU FLUGAS

Ĉiun tagon mi vidis tiun ĉi virinon. Ŝi sidis sur benko ĉe la lernejo kaj rigardis la ĉielon. Longe ŝi rigardis ĝin kvazaŭ ŝi dezirus bone memori ĉiujn nubetojn sur la vasta blua firmamento. De tempo al tempo sur la sama benko, ĉe la virino, sidis virinoj, kiuj konversaciis.

Ĉiam, kiam mi pasis preter la lernejo, mi vidis la virinon kaj mi demandis min kial ŝi sidas sur tiu ĉi benko kaj kial ŝi rigardas la ĉielon. Ŝi ne estis maljuna, estis bone vestita kun blua robo. Sur la ŝultroj falis ŝia bela bruna hararo. Sidanta sur la benko kaj rigardanta senmove la ĉielon, ŝi similis al antikva greka statuo, en kiu estis io enigma kaj alloga. Neniam antaŭe mi vidis iun, kiu sidis senmove kaj konstante rigardas la ĉielon.

Foje, kiam mi denove pasis preter la lernejo, la virino alparolis min. Mi ege surpriziĝis kaj iom konfuziĝis. Ĉu eble ŝi rimarkis, ke foje-foje mi kaŝe scivoleme observas ŝin? Aŭ eble iel mi provokis ŝian atenton?

-Sinjoro – afable diris la virino – mi rimarkis, ke de tempo al tempo vi rigardas la ĉielon.

-Jes – diris mi iom embarasita.

날아가는 소녀

매일 나는 이 여자를 본다.
그녀는 학교 옆 벤치에 앉아 하늘을 보고 있다.
오래도록 그것을 보는데 마치 넓고 파란 하늘 위 모든 작은 구름을 잘 기억하려고 원하는 것처럼.
때로 같은 벤치 위에 여자 옆에서 대화하는 여자들이 앉아 있다.
학교 옆을 지나갈 때마다 항상 여자를 보고서 왜 이 의자에 앉아 있는지, 왜 하늘을 쳐다보는지 궁금했다.
여자는 늙지 않고 파란 웃옷을 잘 차려입었다.
예쁜 갈색 머리카락이 어깨 위로 늘어져 있다.
벤치에 앉아서 움직이지 않고 하늘을 바라보는 그녀는 뭔가 수수께끼 같고 매력 넘치는 고대 그리스 동상과 같다.
결코, 전에는 가만히 앉아서 꾸준히 하늘을 쳐다보는 누군가를 본 적이 없다.
한번은 내가 다시 학교 옆을 지나칠 때 여자가 내게 말을 걸었다.
나는 매우 놀라서 조금 당황했다.
아마 내가 여러 번 몰래 숨어서 호기심을 가지고 자기를 살핀 것을 알아차렸나? 아니면 어떻게든 내가 그녀의 관심을 불러일으켰나?
"아저씨" 친절하게 그녀가 말했다.
"때로 하늘을 쳐다보는 것을 제가 알아요."
"예" 나는 조금 당황해서 말했다.

Vere de tempo al tempo mi rigardis la ĉielon por diveni kion ŝi rigardas. – Mi ŝatas rigardi la ĉielon, sinjorino.
-Ankaŭ mi rigardas ĝin – diris ŝi.
-La ĉielo ĉiam estas bela.
-Certe vi vidis, ke tie supre flugas knabino – daŭrigis ŝi.
Tiuj ĉi vortoj surprizis min. Mi ne komprenis ĉu ŝi ŝercas aŭ ŝi parolas serioze.
-Certe vi vidas la knabinon, kiu flugas tie supre – ripetis la virino. – Ŝi estas mia filino, Aleksandra. Ŝi flugas tie.
Mi rigardis la virinon kaj mi silentis.
-Jam de la infaneco Aleksandra deziris flugi. Ŝi ofte diris al mi: panjo, mi ŝatas flugi alten, alten. Aleksandra estis bona kaj saĝa knabino. Pasintsomere ŝi komencis flugi per deltaplano. Mi ĝojis, ĉar ŝi flugis kaj estis feliĉa, tamen oni diris al mi, ke ŝia deltaplano falis kaj dispeciĝis, sed tio ne estas vero. Mia Aleksandra flugas en la ĉielo, mi vidas ŝin. Jen, ŝi flugas, flugas.
Mi silentis. La virino reveme rigardis la ĉielon. Mi levis la kapon kaj… nekredeble, tie, supre, mi vidis belan ĉarman knabinon flugi.

정말 그녀가 무엇을 쳐다보는지 유추하면서 때로 하늘을 바라보았다.
"나도 하늘 쳐다보는 것을 좋아해요. 아주머니."
"저도 그것을 보고 있어요." 그녀가 말했다.
"하늘이 항상 예뻐요."
"분명 거기 위에서 여자아이가 날아가는 것을 보셨지요." 그녀가 말을 이었다. 곧 이 말이 나를 놀라게 했다. 나는 그녀가 농담하는지 진지하게 말하는지 이해하지 못했다.
"분명 저기 위에서 날아가는 여자아이를 보았지요." 여자가 되풀이했다. "그 아이가 제 딸 **알렉산드라**예요. 거기서 날고 있어요."
나는 여자를 쳐다보고 말이 없다.
"벌써 어릴 때부터 알렉산드라는 날고 싶었어요.
그 아이는 자주 내게 말했죠. '엄마 나는 높이 높이 날고 싶어요.' 알렉산드라는 착하고 현명한 여자아이였어요. 지난여름에 삼각 비행기로 날기 시작했어요.
저는 아이가 날아서 행복했기에 기뻤는데 그 삼각 비행기가 떨어져 산산조각으로 부서졌다고 사람들이 내게 말했지만, 그것은 사실이 아닙니다.
내 알렉산드라는 하늘에서 날았고 나는 그 아이를 보았어요. 여기 그 아이가 날고 있어요. 날아요."
나는 말이 없다. 여자는 다시 하늘을 바라보았다.
나는 머리를 들었다.
그리고 믿을 수 없게 거기 위에서 예쁘고 매력적인 여자아이가 나는 것을 보았다.

28. SAVU LA VULTUROJN

Daniela komencis plenigi la vojaĝsakon. Ŝi rapide metis en ĝin robojn, bluzojn, ŝtrumpojn… Milen staris kaj rigardis ŝin.

-Estu ĉiam ĉi tie – diris kolere Daniela – ĉe viaj vulturoj, lupoj, vulpoj…

Milen silentis. La sako estis plena kaj Daniela ne supozis, ke ŝi havas tiom da vestoj. Muŝo flugis en la ĉambro, zumis kaj incitis Milen. Li provis forpeli ĝin, sed li ne sukcesis.

Ja, la muŝoj ne laciĝas. La ĉambro nun aspektis malplena.

Preskaŭ nenio estis en ĝi. Nur sur la muro pendis malnova kalendaro.

-Loĝu kun viaj vulturoj – daŭre ripetis Daniela.

Ŝi ĉirkaŭrigardis, prenis la pezan sakon kaj ekiris.

Milen aŭdis, ke ŝi malfermas la dompordon kaj ekiras sur la straton.

Daniela malrapide iris al la bushaltejo. Milen rigardis ŝin tra la fenestro. Sur la strato estis neniu. Nun, en la mezo de septembro, la vetero ankoraŭ estis varma. La suno brilis. Ĉe la haltejo estis tilio kaj Daniela staris sub ĝiaj branĉoj. La aŭtobuso devis veni post dudek minutoj.

독수리들을 구하라

다니엘라는 여행 가방을 꾸리기 시작했다.
그녀는 서둘러 거기에 웃옷, 블라우스, 양말을 넣었다.
밀렌은 서서 그녀를 바라보았다.
"항상 여기서 살아." 다니엘라는 화가 나서 말했다.
"당신 독수리, 늑대, 여우들 옆에."
밀렌은 말이 없다.
가방이 차자 다니엘라는 그만큼의 옷이 있다고 짐작하지 못했다. 파리가 방에서 윙윙거리며 날아다니고 밀렌을 자극했다.
그는 그것을 쫓아내려고 했지만 성공하지 못했다.
정말 파리는 지치지 않는다.
방이 지금 빈 듯했다. 그 안에 거의 아무것도 없다.
벽 위에는 오래된 달력만 걸려 있다.
"당신 독수리와 함께 살아."
다니엘라는 계속 되풀이했다.
그녀는 주위를 살피고 무거운 가방을 들고 나갔다.
밀렌은 그녀가 집 문을 열고 거리로 나가는 소리를 들었다.
다니엘라는 천천히 버스 정류장으로 갔다.
밀렌은 창을 통해 그녀를 본다. 거리에는 아무도 없다.
지금 9월 중순에 날씨는 아직 따뜻하다.
해가 비치고 있다.
정류장에 보리수나무가 있고 다니엘라는 그 가지 아래 섰다. 버스는 20분 뒤에나 온다.

Sur la griza muro de la bushaltejo pendis malnova afiŝo "Savu la vulturojn."
Aŭdiĝs aŭtomobila bruo. Al la bushaltejo proksimiĝs aŭto.
Daniela levis brakon, la aŭto haltis. Ĉio okazis tre rapide, kvazaŭ en filmo. La pordo de la aŭto malfermiĝis kaj Daniela eniris ĝin. La aŭto ekveturis.
-Ŝi foriris - diris Milen.
Li faris kelkajn paŝojn en la malplena silenta ĉambro.
En la malfermita vestoŝranko videblis lia bruna pantalono, la vintra verda jako, la nigra mantelo.
Milen rememoris la tagon, kiam li kaj Daniela venis en tiun ĉi vilaĝon. Antaŭ du jaroj, la 5-an de majo. Tiam la arboj floris kaj ĝiaj blankaj kronoj similis al belegaj bukedoj. La vilaĝo Bilkovo estis en la monto. Milen kaj Daniela ekloĝis en malnova vilaĝa domo, en kiu estis nur unu ĉambro. Milen iom renovigis la ĉambron. La etaj dometoj de la vilaĝo similis al birdoj sur la monta deklivo. La stratoj estis krutaj, la kortoj ege malgrandaj. Ĉi tie la homoj kvazaŭ vivis en la pasinta jarcento.
En la vilaĝo ne estis lernejo, nek vartejo, nek polikliniko, nek kinejo.

버스 정류장의 회색 벽에는 '독수리들을 구하라'는 오래된 광고지가 붙어 있다.
자동차 소음이 났다. 버스 정류장으로 차가 다가온다.
다니엘라가 팔을 들자 자동차는 멈춰섰다.
모든 일이 마치 영화처럼 아주 빠르게 일어났다.
자동차 문이 열리고 다니엘라는 그 안에 탔다.
자동차가 출발했다.
"그녀가 갔군." 밀렌이 말했다.
그는 조용한 빈방에서 몇 걸음 걸었다.
열린 옷장에는 그의 갈색 겨울 바지, 겨울용 푸른 잠바, 검은 외투가 보였다.
밀렌은 다니엘라와 함께 이 마을에 온 날을 기억했다.
이 년 전 5월 5일이었다.
그때 나무는 꽃이 피어 그 하얀 가지는 아주 예쁜 꽃다발 같았다.
밀코보 마을은 산속에 있다.
밀렌과 다니엘라는 오직 방 한 개만 있는 오래된 시골집에서 살기 시작했다.
밀렌은 방을 조금 고쳤다.
마을의 작은 집들은 산비탈에 있는 새들 같다.
거리는 울퉁불퉁하고 마당은 아주 좁았다.
여기서 사람들은 마치 지나간 백 년 속에서 사는 것 같았다.
마을에는 학교, 요양원, 종합병원, 영화관도 없다.

Estis nur unu nutraĵvendejo. La infanoj frekventis la lernejon en la najbara vilaĝo.
En tiu ĉi fora, silenta, monta angulo, la vulturoj trovis azilon. Nur ĉi tie en la tuta lando estis vulturoj. Ne estis klare kial la vulturoj estas ĉi tie, ĉu pro la silento aŭ pro la dezerteco de la regiono.
Nun Milen sentis sin perfidita. Daniela ne eltenis loĝi ĉi tie kaj foriris. Antaŭ du jaroj li kaj ŝi venis por esplori la vulturojn, zorgi pri ili, gardi ilin, ĉar la vulturoj komencis malaperi.
Kiam Milen unuan fojon rakontis al Daniela pri la vulturoj, ŝiaj okuloj ekbrilis. Tiam ŝi ankaŭ interesiĝis pri la vulturoj kaj ambaŭ decidis ekloĝi ĉi tien kaj observi la vulturojn, zorgi pri ili. Ĉiutage li kaj ŝi frue vekiĝis, vagis tra la rokoj, nutris la vulturojn, fotis ilin. Milen faris specialan lokon en la rokoj, kie ili metis la nutraĵon por la vulturoj. Ili admiris la fortajn birdojn, kiuj flugas je cent-ducent metroj alte en la ĉielo kaj povas traflugi cent dudek kilometrojn sen ripozo.
Kiam la vulturoj rimarkas ĉasistojn, tuj ili malsupreniĝis, ĉar tie sube estas ia nutraĵo.
Svisa fonduso okupiĝis pri la savo de la vulturoj kaj oni proponis al Milen iĝi ano de la fonduso.

오로지 생필품 가게만 하나 있다.
아이들은 이웃 마을에 있는 학교에 다닌다.
이 멀고 조용한 산 구석에 독수리는 피난처를 찾았다.
온 나라에서 오직 여기에만 독수리가 있다.
조용해선지 황폐한 지역 때문인지 독수리들이 왜 여기에 사는지 분명하지 않았다.
지금 밀렌은 배신당했다고 느꼈다.
다니엘라는 여기서 사는 것을 견디지 못하고 떠났다.
이년 전 그들은 독수리가 멸종되기 때문에 그들을 조사하고 돌보고 지키려고 왔다.
밀렌이 처음 다니엘라에게 독수리에 관해 말했을 때 그녀의 눈은 빛이 났다.
그때 그녀도 독수리에 흥미를 느끼고 두 사람은 여기서 살면서 독수리를 살피고 돌보려고 결심했다.
매일 그들은 일찍 일어나서 바위 사이로 헤매고 다니며 독수리를 먹이고 사진을 찍었다.
밀렌은 특별한 장소를 바위에 만들었다.
거기에 독수리를 위한 양식을 두었다.
하늘 높이 100~200m 날아가고 쉬지 않고 120킬로 날아가는 힘이 센 새들에 감탄했다.
독수리가 사냥꾼을 알아차릴 때 곧 그들은 아래로 내려갔다. 거기 아래에 뭔가 먹을 것이 있기에.
스위스 기금은 독수리 구원의 업무를 가지고 밀렌에게 기금의 일원(一圓)이 되도록 권유했다.

La patrino de Daniela, kiu estis kuracistino, ne tre konsentis, ke Daniela loĝu malproksime en la montaro. Tamen tiam Daniela decidis, ke ŝi estos kun Milen.
Du jarojn ili pasigis ĉi tie kaj hieraŭ vespere, kiam ili vespermanĝis, Daniela diris:
-Ĝis kiam ni estos ĉi tie?
Milen alrigardis ŝin. La lumo en la ĉambro ne estis forta kaj ŝia vizaĝo aspektis pala kiel pergameno. Ŝiaj verdaj okuloj similis al du sekaj makuloj. Milen ne respondis. Daniela bone sciis, ke nun la vulturoj kovas la ovojn. Baldaŭ estos vulturetoj, kiuj bezonos zorgojn. Estis vultura paro, kiun Milen kaj Daniela jam de kelkaj monatoj observis. La flugilo de la ina vulturo estis vundita. Milen kaj Daniela kuracis ĝin kaj kiam ĝi resaniĝis ili liberigis la inan vulturon. Ili nomis ĝin Blanka Meri. Post nelonge ili vidis, ke Blanka Meri havas partneron.
Ĝin ili nomis Andi. Tio estis la nomo de svisa sciencisto esploristo, kiu de tempo al tempo venis ĉi tien.
Post silento Daniela daŭrigis:
-Ni havos infanon. Ĉu mi devas naski ĝin ĉi tie?
Milen bone sciis, ke ŝi estas graveda.

다니엘라 어머니는 의사인데 딸이 멀리 산에서 사는 것을 매우 동의하지 않았다.
하지만 그때 다니엘라는 밀렌과 함께 하리라 결심했다.
이년 간 그들은 여기서 보냈고 어제저녁에 그들이 저녁 먹을 때 다니엘라는 말했다.
"언제까지 여기 살까요?"
밀렌은 그녀를 바라보았다.
방에는 빛이 강하지 않아 그녀 얼굴은 양피지처럼 하얗게 보였다.
그녀의 푸른 눈동자는 두 개의 마른 얼룩 같았다.
밀렌은 대답하지 않았다.
다니엘라는 지금 독수리가 알을 낳은 것을 잘 알았다.
돌봄이 필요한 독수리 새끼들이 곧 생길 것이다.
밀렌과 다니엘라에게는 이미 몇 달 전부터 관찰하는 독수리 한 쌍이 있다.
암독수리 날개가 상처를 입었다.
밀렌과 다니엘라는 그것을 치료하고 건강하게 되었을 때 암독수리를 자유롭게 해 주었다.
그들은 그것을 **하얀 메리**라고 이름 불렀다.
얼마 뒤에 하얀 메리에게 짝이 있는 것을 보았다.
그들은 그것을 **안디**라고 불렀다.
그것은 가끔 여기에 온 스위스 과학자이자 탐험가 이름이다. 침묵이 있고 나서 다니엘라는 계속했다.
"우리는 자녀를 가질 거예요.
여기서 내가 아이를 낳아야 해요?"
밀렌은 그녀가 임신한 것을 잘 알았다.

Ĉi tie ne estis polikliniko, ne estis akuŝistino, nek kuracisto, sed li esperis, ke kiam Daniela komencos naski, li rapide veturigos ŝin en la urbon, kiu estis en la valo.
-Kaj poste - diris Daniela - kie lernos la infano? Ĉi tie ne estas lernejo.
Milen rigardis ŝin.
-Kiam mi proponis al vi, ke ni venu ĉi tien zorgi pri la vulturoj, vi konsentis - diris li. - Vi sciis, ke ĉi tie ne estas polikliniko, nek kuracistoj, nek lernejo, nek kinejo… Ĉi tie nenio estas. Nur vulturoj pri kiuj ni devas zorgi. Tiam vi konsentis veni. Vi diris, ke vi pretas kun mi iri eĉ al la fino de la mondo. Jen, ĉi tie estas la fino de la mondo.
Daniela strabis la lampon, kiu pale lumis.
Jen, nun Daniela forveturis. Ŝi eĉ ne diris "ĝis revido" al Milen. Milen komprenis, ke Daniela ne eltenis. Eble tiam, kiam ŝi diris, ke ŝi pretas iri al la fino de la mondo kun Milen, eble ŝi supozis, ke tio estos agrabla aventuro aŭ nur portempa amuzo. Milen sentis sin perfidita. Eble nun Daniela opiniis lin freneza. Ja, kiu bezonas vulturojn? Tamen Milen jam ne povis imagi sian vivon malproksime de la vulturoj. Kiam ili flugis li rigardis ilin ravita.

여기에 종합병원, 분만 조산원, 의사도 없다.
다니엘라가 낳기 시작할 때 그는 서둘러 골짜기에 있는 도시로 그녀를 태우고 가리라고 바랐다.
"그리고 나중에?" 다니엘라는 말했다.
"아이는 어디서 공부해? 여기에는 학교가 없어."
밀렌은 그녀를 쳐다보았다.
"우리가 독수리를 돌보려고 여기에 오자고 내가 당신에게 제안할 때 당신은 동의했어." 그가 말했다.
"여기에 종합병원, 의사, 학교, 영화관이 없는 것을 당신은 알았어. 여기에는 아무것도 없어.
오직 우리가 돌봐야 할 독수리만 있어.
그때 당신은 온다고 동의했어.
당신은 나와 함께 세상 끝까지 가도록 준비했다고 말했어. 여기가 세상의 끝이야."
다니엘라는 희미하게 빛나는 전등을 슬그머니 바라보았다. 여기서 다니엘라는 지금 떠났다.
그녀는 밀렌에게 "잘 있어" 라는 말조차 하지 않았다.
다니엘라는 참지 못했다고 밀렌은 이해했다.
그녀가 세상 끝까지 밀렌과 함께 준비했다고 말했을 때, 아마 그녀는 그것이 상쾌한 모험이거나 일시적인 즐거움이 될 것이라고 짐작했을 것이다.
밀렌은 배신당했다고 느꼈다.
아마 지금 다니엘라는 그가 미쳤다고 생각할 것이다.
정말 누가 독수리를 필요로 하나? 하지만 밀렌은 벌써 독수리를 멀리 떠난 그의 인생을 상상할 수 없다.
그들이 날아갈 때 매혹에 빠져 그것들을 바라본다.

Ili altiĝis supren, poste subite rapide ili direktiĝis al la tero, simile la militaviadiloj. La homoj ne ŝatas la vulturojn, kiuj aspektas teruraj, danĝeraj, sed Milen meditis, ke se la vulturoj ekzistas, ili estas bezonataj. Ja, ni la homoj ne povas vivi solaj. Devas esti bestoj, birdoj, fiŝoj, insektoj··· Ni ĉiuj vivas kune en la grandega Noa barko, kiu nomiĝas Tero.
Daniela forlasis la barkon kaj forveturis. Milen ne sukcesis konvinki ŝin, ke ŝi restu. Se iu ne kredas en io, neniu konvinkos lin aŭ ŝin pri la utileco de tio.
Milen iris el la loĝejo por vidi kio okazas al la vulturoj.
Malrapide li paŝis sur la krutaj stratoj al la rokoj. Regis silento.
La grandaj rokoj similis al kuŝantaj grizaj lupoj. Per binoklo Milen rigardis la vulturojn. Li observis Blankan Merion kaj Andion. Kiam li konvinkiĝis, ke la vulturoj estas trankvilaj, li ekiris hejmen.
Li proksimiĝis al la domo kaj haltis. En la ĉambro estis lumo. Milen malfermis la pordon. Daniela estis en la ĉambro.
Ŝi revenis. Ĉe la lito staris ŝia granda vojaĝsako.

그들은 하늘 높이 위로 올라가 나중에 갑자기 빠르게 전투기 같이 땅으로 향했다.
사람들은 독수리가 잔인하고 위험하게 보인다고 좋아하지 않지만, 독수리가 존재한다면 이유가 있으리라고 밀렌은 생각했다.
정말 우리 인간은 홀로 살 수 없다.
동물, 새, 물고기, 곤충이 있어야 한다.
모든 우리는 지구라고 이름 부르는 커다란 노아의 방주에서 함께 산다.
다니엘라는 방주를 떠나 멀리 갔다.
밀렌은 그녀가 남도록 확신시키는 데 성공하지 못했다.
누군가가 무엇에 대한 믿음이 없으면, 그 누구도 그와 그녀에게 무엇의 효용성을 확신시킬 수 없다.
밀렌은 독수리에게 무슨 일이 있는지 살피려고 집을 나왔다.
천천히 바위로 향하는 울퉁불퉁한 거리 위로 걸었다.
조용했다.
커다란 바위는 누워 있는 회색 늑대 같았다.
쌍안경으로 밀렌은 독수리들을 보았다.
그는 하얀 메리와 안디를 살폈다.
그들이 편안하다고 확신이 들자 집으로 갔다.
그는 집에 가까이 와서 멈췄다.
방에 불빛이 있었다. 밀렌은 문을 열었다.
다니엘라가 방 안에 있었다.
그녀가 돌아왔다.
침대 옆에 그녀의 커다란 여행 가방이 있었다.

Milen proksimiĝis[38] al Daniela.

-Nun mi vidis Blankan Merion kaj Andion - diris li. - Ili jam havas idojn, etajn vulturojn.

Daniela staris, ĉirkaŭbrakis Milen kaj kisis lin.

---

38) proksim-a 가까운, 부근(附近)의; 근사(近似)한. proksimeco 부근(附近). proksime de …의 부근에, …가까이. de proksime 가까이서. (al) proksimigi 가까이 가게하다, 접근시키다. (al) proksimiĝi 가가이 가다, 가까워지다, 접근하다. proksimulo 이웃, 동류(동류). proksimuma 근사(近似)한, 정확에 가까운, 개산(概算)의. proksimume 개산적으로, 대개, 거의. proksimumo <數>근사치(近似値). malproksima 먼. malproksime de …에서 멀리.

밀렌은 다니엘라에게 다가갔다.
“지금 하얀 메리와 안디를 봤어.” 그가 말했다.
“그들은 벌써 새끼들, 작은 독수리를 가졌어.”
다니엘라는 서서 밀렌을 껴안고 입맞춤했다.

29. LA ROMANO "SEVERINA"

En la restoracio estis Adrian, Ljuben, Emi, la edzino de Ljuben kaj Severina, amikino de Emi. Ĉi-vespere Ljuben regalis ilin, ĉar li ricevis premion pro sia nova arkitektura projekto pri granda sporta komplekso. La vespero estis agrabla kaj amuza, la ruĝa vino tre bona. Ekstere neĝis. Tra la grandaj fenestroj de la restoracio videblis la falo de la neĝeroj, kiuj formis blankan kurtenon.

Adrian kaj Ljuben estis amikoj jam de la infaneco. Ofte Adrian gastis en la domo de Ljuben. Ĉi-vespere kun Ljuben kaj Emi estis amikino de Emi, kies nomo estis Severina, bela ĉirkaŭ dudekkvinjara kun oreca hararo kaj ĉarmaj okuloj, similaj al aveloj.

Kiam Adrian decidis foriri, ĉar jam estis la deka horo vespere, Emi petis lin:

-Adrian, bonvolu akompani Severinan. Ja, jam estas malfrue.

-Kompreneble - diris Adrian. - Mi volonte akompanos ŝin.

Li kaj Severina adiaŭis Ljubenon kaj Emion kaj iris el la restoracio.

-Ni veturu per taksio - proponis Adrian.

소설 '세베리나'

식당에 **아드리안**, **류벤**, 류벤의 아내 **에미**, 에미의 친구 **세베리나**가 있다.
오늘 저녁 류벤은 그들을 대접했다.
대형스포츠센터에 관한 새로운 건축계획 때문에 상을 받았기에.
저녁은 상쾌하고 즐거웠다.
적포도주는 아주 맛있었다.
밖에는 눈이 왔다.
식당 커다란 창으로 눈송이가 떨어지는 것이 보이고
그것들은 하얀 커튼을 만든다.
아드리안과 류벤은 어릴 때부터 친구였다.
자주 아드리안은 류벤의 집에 갔다.
오늘 저녁 류벤과 에미는 에미의 친구 세베리나와 함께 있다.
그녀는 예쁘고 약 25살이고 황금 같은 머릿결, 개암 같은 매력적인 눈을 가졌다.
이미 저녁 10시니까, 아드리안이 떠나려고 할 때 에미가 그에게 부탁했다.
"아드리안, 세베리나를 배웅해 주세요. 정말 벌써 늦었어요."
"당연하지요." 아드리안이 말했다.
"기꺼이 배웅할게요."
그와 세베리나는 류벤과 에미와 작별하고 식당을 나왔다.
"택시를 타고 갑시다." 아드리안이 제안했다.

-Estus bone iom promenadi - diris Severina.
La vintra vespero ne tre malvarmis. La neĝo similis al mola vato. La stratoj silentis senhomaj. La stratlampoj ĵetis flavan lumon, la arboj staris kiel soldatoj, vestitaj en blankaj manteloj. Adrian kaj Severina paŝis malrapide kvazaŭ en dormanta mirakla arbaro.
-Kie vi loĝas? - demandis Adrian.
-En la nova loĝkvartalo "Orkideo".
De la restoracio ili ekiris al la centro de la urbo.
-Kia estas via profesio? - demandis Severina.
-Mi estas pentristo - respondis Adrian.
-Kion vi preferas pentri - pejzaĝojn, portretojn?
-Mi estas grafikisto. Kion vi laboras?
-Flegistino en la hospitalo "Sankta Anna".
-Vi havas malfacilan profesion - rimarkis Adrian.
-Sed mi tre ŝatas ĝin. Tio estis mia infana revo. Ĉu vi revis esti pentristo?
-Kiam mi estis lernanto mi sciis, ke mi estos pentristo. Mi finis gimnazion pri pentroarto kaj poste Belartan Akademion.
Nerimarkeble ili proksimiĝis al hotelo "Kontinento", de kie ili veturis per taksio. Adrian akompanis Severinan al ŝia loĝejo, adiaŭis ŝin kaj ekiris al sia hejmo. Survoje li meditis pri ŝi. Severina plaĉis al li.

"조금 산책하는 것이 더 좋아요." 세베리나가 말했다. 겨울밤은 그렇게 춥지 않았다.
눈은 부드러운 솜 같다. 거리는 사람도 없이 조용하다.
가로등은 노란빛을 비추고 나무들은 하얀 외투를 입은 군인처럼 서 있다.
아드리안과 세베리나는 마치 잠자는 기적의 숲속에서처럼 천천히 걸었다.
"어디 사세요?" 아드리안이 물었다.
"새로운 주거지역 **오르키데오** 입니다."
식당에서 그들은 도시 중심가로 걸어갔다.
"직업은 무엇인가요?" 세베리나가 물었다.
"저는 화가입니다." 아드리안이 대꾸했다.
"풍경화나 초상화 어느 것 그리기를 더 좋아하나요?"
"나는 미술가입니다. 무슨 일을 하세요?"
"병원 성 **안나**에서 간호사로 일합니다."
"어려운 직업이시네요." 아드리안이 알아차렸다.
"하지만 그것을 아주 좋아해요.
그것이 어릴 적 꿈이었어요.
화가 되기를 꿈꾸셨나요?"
"내가 학생일 때 화가가 되리라고 알았어요.
나는 미술 고등학교를 마치고 나중에 예술 교육원을."
어느새 **콘티넨트** 호텔에 가까이 와서 거기서 택시를 탔다. 아드리안은 세베리나를 그녀 집까지 배웅하고 작별인사했다. 그리고 자기 집으로 갔다.
오는 도중 그녀에 관해 깊이 생각했다.
세베리나가 그의 마음에 들었다.

Ĉu ŝi interesiĝas pri la pentroarto – demandis sin Adrian. Ĝis nun li havis kelkajn koramikinojn, sed neniu el ili interesiĝis pri la pentroarto. Por li tamen la pentroarto estis la plej grava en la vivo. Iuj el la virinoj agis hipokrite. Ili diris, ke la grafikaĵoj de Adrian plaĉas al ili, sed Adrian sentis, ke ili ne estas sinceraj.
Matene li telefonis al Severina kaj proponis al ŝi renkontiĝon. Severina akceptis la inviton. Ili vespermanĝis en la restoracio "Primavero". Severina aspektis pli bela ol hieraŭ.
Ŝi surhavis ĉerizkoloran robon kun ora ornamaĵo – eta arbfolio, majstre farita. Severina rakontis al Adrian, ke ŝi naskiĝis en la urbo Filipopolis. Ŝia patro estas historiisto, profesoro en la universitato kaj ŝia patrino – instruistino. Kutime sabate kaj dimanĉe ŝi estas en Filipopolis ĉe la gepatroj.
Post tiu ĉi unua rendevuo ili ofte estis kune. Foje, kiam Adrian denove akompanis Severinan al ŝia loĝejo, ŝi diris al li:
-Mi invitas vin trinki kafon en mia loĝejo.
La loĝejo estis ne tre granda, duĉambra, bone meblita.
Sur la muro Adrian vidis pentraĵon. Estis pentrita la fama monaĥejo Drjanovo.

그녀가 미술에 흥미 있는가? 아드리안은 궁금했다.
지금껏 마음에 맞는 여자 친구가 몇 명 있었지만, 그들 중 누구도 미술에 흥미가 없었다.
하지만 그에게 미술은 인생에서 가장 중요하다.
여자 중 일부는 위선적으로 행동했다.
아드리안의 미술 작품이 그들 마음에 든다고 말했지만, 아드리안은 그들이 진실하지 않음을 느낀다.
아침에 그는 세베리나에게 전화해서 만나기를 제안했다. 세베리나는 초대를 수락했다.
그들은 식당 **프리마베로**에서 저녁을 먹었다.
세베리나는 어제보다 더 예쁘게 보였다.
그녀는 신비롭게 만들어진 작은 나뭇잎 노란 장식이 있는 체리 색 웃옷을 입었다.
세베리나는 아드리안에게 **필리포폴리스**에서 태어났다고 이야기했다.
그녀의 아버지는 역사가이고 대학교수이며 어머니는 교사다.
보통 주말에 그녀는 부모님이 계신 필리포폴리스에 있다.
이 첫 만남 뒤 그들은 자주 함께했다.
한번은 아드리안이 세베리나를 그녀 집으로 배웅할 때 그녀가 그에게 말했다.
“우리 집에서 커피 마시자고 초대할게요.”
집은 그렇게 크지는 않고 방이 두 개고 가구는 잘 배치되어 있었다.
벽에서 아드리안은 미술 작품을 보았다.
유명한 **드랴노보** 성당이 그려져 있다.

La monaĥeja konstruaĵo troviĝis inter arboj kaj rigardante la pentraĵon, oni havis la impreson, ke la monaĥejo lante leviĝas al la ĉielo.
-La monaĥejon pentris Vasil Petrov - diris Severina. - Antaŭ jaro li estis malsana. Oni kuracis lin en la malsanulejo kaj li donacis al mi la pentraĵon.
-Mi konas Vasil Petrov - diris Adrian - talenta pentristo li estas.
-Mi ŝatas vidi viajn grafikaĵojn - alrigardis lin Severina.
- Mi opinias, ke la pentristoj, verkistoj, muzikantoj vivas en alia mondo, kiu ne similas al la mondo, en kiu ni, la ordinaraj homoj, vivas.
-Eble vi pravas.
-Se vi permesus, mi alrigardus vian mondon.
Adrian ridetis.
-Sed vi devas havi ŝlosilon por mia mondo. Sen ŝlosilo vi ne povus malfermi ĝin.
-Vi helpos min malŝlosi ĝin, ĉu ne? - kaj en ŝiaj avelaj okuloj ekbrilis ruzetaj lumetoj.
Matene, kiam Adrian vekiĝis, Severina ankoraŭ dormis.
Sur ŝia glata frunto kuŝis tufo da haroj, ŝiaj brovoj similis al du etaj lunarkoj, ŝia buŝo estis iom malfermita kaj ŝi trankvile spiris.

성당 건물은 나무 사이에 있다.
미술 작품을 쳐다보면서 성당이 천천히 하늘로 올라간다는 느낌을 받았다.
"성당을 **바실 페트로브**가 그렸어요."
세베리나가 말했다.
"1년 전 그는 아팠어요. 병원에서 그를 치료했죠.
그리고 제게 미술 작품을 선물로 주셨어요."
"저는 페트로브를 알아요." 아드리안이 말했다.
"그는 유능한 화가죠."
"나는 당신의 미술 작품 보기를 좋아해요."
세베리나가 그를 쳐다보았다.
"화가, 작가, 음악가는 우리 보통 사람이 사는 세상과 같지 않은 다른 세상에서 산다고 나는 생각해요."
"아마 맞아요."
"허락해 주신다면 당신의 세계를 볼 수 있을 텐데."
아드리안은 조그맣게 웃었다.
"하지만 내 세계를 위해 열쇠를 가져야 해요.
열쇠 없이는 그것을 열 수 없어요."
"내가 그것을 열도록 도와주겠지요, 그렇죠?" 그리고 그녀의 개암 같은 눈에 야릇한 작은 빛이 빛나기 시작했다.
아침에 아드리안이 깨어났을 때 세베리나는 아직 자고 있다.
그녀의 미끈한 이마 위로 머리 한 움큼이 있고 그녀의 눈썹은 두 개의 작은 반달 모양 같고 그녀의 입술은 조금 벌어져 있고 그녀는 편안하게 숨을 쉬었다.

Dormante Severina estis tre alloga. Ŝi malrapide malfermis okulojn, ridetis kaj kisis lin.

-Mi devas rapidi al la laborejo - diris ŝi, ekstaris kaj iris al la banejo.

Severina estigis harmonion en la vivo de Adrian. Li decidis montri al ŝi siajn grafikaĵojn, tamen iom li estis maltrankvila, ĉar li ne sciis kion ŝi diros pri ili. Unue li montris al ŝi maran pejzaĝon. Severina atente rigardis ĝin.

-Ĝi radias solecon - diris ŝi.

-Kial? - demandis Adrian. Li ne supozis, ke tiu ĉi pejzaĝo radias solecon.

-La fiŝkaptista boato sur la mara bordo similas al orfa infano - diris Severina - kaj kvazaŭ subite ekpluvos torenta pluvo.

Adrian aŭskultis ŝin.

-Eble, kiam vi pentris ĝin, vi ne pensis pri la soleco, tamen kiam mi rigardas la grafikaĵon, mi sentas triston. Ofte mi demandas min kial la pentristoj pentras, kial la verkistoj verkas kaj la komponistoj komponas.

-Mi pentras - diris Adrian, - ĉar per la pentrado mi eniras la alian mondon, kiel vi diris.

-Pentrante kion vi sentas? - demandis ŝi.

-Feliĉon. Feliĉon dum la pentrado.

자는 세베리나는 아주 매력적이었다.
그녀는 천천히 눈을 뜨고 살짝 웃고 그에게 입맞춤했다.
"저는 빨리 일터에 가야 해요."
그녀는 말하고 일어나 욕실로 갔다.
세베리나는 내 인생에 조화를 만들었다.
그는 그녀에게 자기 미술 작품을 보여주기로 마음먹었지만 조금 불안했다.
그녀가 그것에 관해 무엇이라고 말할지 알지 못하기에.
처음에 그는 바다 풍경을 그녀에게 보여주었다.
세베리나는 주의해서 그것을 쳐다보았다.
"그것이 외로움을 보이네요." 그녀가 말했다.
"왜요?" 아드리안이 물었다.
이 풍경이 외로움을 보인다고 그는 짐작하지 않았다.
"바닷가에 있는 어부의 배가 고아 같아요."
세베리나가 말했다.
그것은 마치 폭풍우가 갑자기 쏟아지는 듯했다.
아드리안은 그녀 말을 들었다.
"아마 이것을 그릴 때 외로움에 관해 생각하지 않았지만 미술 작품을 볼 때 나는 슬픔을 느껴요.
화가가 왜 그리는지 작가가 왜 쓰는지 작곡가가 왜 작곡하는지 자주 나는 궁금해요."
"나는 그려요." 아드리안이 말했다.
"그림을 그리며 당신이 말한 것처럼 다른 세계로 들어가지요."
"그리면서 무엇을 느끼나요?" 그녀가 물었다.
"행복, 그리면서 행복."

En la komenco de majo devis esti ekspozicio de Adrian.
Li pentris kaj imagis la tagon, kiam la ekspozicio estos inaŭgurita. Preskaŭ ĉiuj grafikaĵoj por la ekspozicio estis pretaj kaj nun li pentris la lastan, en kiu li deziris prezenti la variecon kaj la riĉecon de la universo. En la grafikaĵo devis esti lupo. Li ne tre klare konsciis kial lupo, sed la lupo estos simbolo. Ja, la lupo estas batalemo, kuraĝo, forto… Adrian tamen ne povis trovi la plej bonan lokon de la lupo en la grafikaĵo. Li pentris, sed ne estis kontenta de la rezulto. Kelkfoje li ŝanĝis la lokon de la lupo en la grafikaĵo.
Foje surstrate li renkontis Eman, la edzinon de Ljuben.
-Saluton Adrian, - diris ŝi.
La printempa vento flirtigis ŝian blondan hararon.
-Delonge mi ne vidis vin - diris Ema.
-Baldaŭ mi prezentos ekspozicion, kiu estos inaŭgurota je la komenco de monato majo.
-Bonege. Kiel fartas Severina?
-Tre bone.
-Ĉu ŝi diris al vi, ke ŝi estas protagonistino de romano, kies titolo estas "Severina"? -ridetis Ema.

5월 초에 아드리안의 전시회가 열리게 되었다.
그는 그리면서 전시회가 열리는 날을 상상했다.
전시회를 위한 거의 모든 미술 작품이 준비되었다.
그리고 그는 지금 마지막을 그리면서, 그 안에 우주의 다양함과 풍부함을 보여주고 싶었다.
미술 작품 안에 늑대가 있어야 한다.
그는 늑대가 왜 있는지 그렇게 분명히 알지는 못하지만, 늑대는 상징이다.
정말 늑대는 싸움을 좋아하고 용기 있고 힘이 세다.
그러나 아드리안은 미술 작품 속에서
늑대의 가장 좋은 자리를 발견할 수 없었다.
그는 그렸지만, 결과가 만족스럽지 못했다.
그는 미술 작품 속에서 늑대의 위치를 여러 번 바꿨다.
한 번은 거리에서 류벤의 아내 에미를 만났다.
"안녕하세요. 아드리안"
그녀가 말했다.
봄바람이 그녀의 금발을 흔들었다.
"오랜만에 보게 되었네요."
에미가 말했다.
"5월 초에 열릴 전시회를 곧 보여줄게요."
"아주 좋아요. 세베리나는 어떻게 지내나요?"
"아주 잘."
"그녀가 세베리나라는 제목의
소설 주인공이라고 말했나요?"
에미가 살며시 웃었다.

-Ĉu? - surpriziĝis Adrian.
-La romano aperis antaŭ du jaroj.
-Kiu estas la aŭtoro?
-Pavel Dafov.
-Pavel Dafov?
Adrian mire rigardis Ema. Ĝis nun Severina eĉ vorton ne diris al li pri tiu ĉi romano. Kial? Adrian sciis kiu estas Pavel Dafov - juna verkisto, aŭtoro de romanoj, novelaroj, sed Adrian nenion legis de li. Li decidis tuj aĉeti la romanon kaj iris al librovendejo. Okazis, ke la romano delonge estas elĉerpita. Finfine Adrian sukcesis aĉeti ĝin en malproksima librovendejo. La kovrilo de la libro estis bela, verdkolora, la titolo estis per grandaj literoj "Severina".
Adrian revenis hejmen kaj tuj komencis legi la romanon. Preskaŭ la tutan tagon li legis. Temis pri fama futbalisto, kiu post serioza kontuzo estis en la malsanulejo, en kiu flegistino estis Severina. Sendube la verkisto tre bone priskribis Severinan. Eĉ estis detaloj el ŝia karaktero, kiujn jam Adrian rimarkis.
Adrian ne povis klarigi al si kial ĝis nun Severina nenion diris al li pri la romano.
Posttagmeze li kaj Severina estis en kafejo "Oriono".

"정말요?" 아드리안이 깜짝 놀랐다.
"소설이 2년 전에 나왔어요."
"작가가 누군데요?"
"**파벨 다포브**입니다."
"파벨 다포브요?" 아드리안은 놀라서 에미를 바라봤다. 지금까지 세베리나는 이 소설에 관해 그에게 한 번도 말하지 않았다.
'왜?' 아드리안은 파벨 다포브가 누구인지 알았다. 젊은 작가고 장편 소설, 단편소설을 쓰지만, 아드리안은 아무것도 읽지 않았다.
그는 곧 소설을 사기로 마음먹고 책방에 갔다.
소설은 오래전에 매진되었다.
마침내 아드리안은 먼 책방에서 그것을 사는 데 성공했다. 책 표지는 예쁘고 푸른색에 제목은 커다란 글자로 세베리나라고 쓰여 있다.
아드리안은 집에 돌아와서 곧 소설을 읽기 시작했다. 거의 온종일 읽었다.
심한 타박상을 입고 병원에 있는 유명한 축구 선수가 주인공인데 거기 간호사가 세베리나였다.
의심할 것 없이 작가는 세베리나를 가장 잘 표현했다.
이미 아드리안이 알아챈 그녀의 특징까지 아주 자세했다.
아드리안은 세베리나가 소설에 관해 자기에게 지금까지 말하지 않은 이유를 설명할 수 없다.
오후에 그는 세베리나와 함께 카페 **오리오노**에 갔다.

Kiam Adrian eniris la kafejon, Severina estis tie kaj atendis lin.
-Kio okazis? - demandis ŝi.
-Mi pentris kaj tial mi malfruis - mensogis li.
-Kiam mi vidos vian novan grafikaĵon?
-Kiam ĝi estos preta.
-Jam dum longa tempo vi pentras ĝin. Ĉu estas io, kio malhelpas vin? - demandis ŝi.
-Mi deziras, ke en la grafikaĵo estu lupo, sed mi ne povas trovi ĝian la plej bonan lokon en la pentraĵo.
-Kial vi deziras pentri lupon?
-Ĝi estos simbolo.
-Sed nun ŝajnas al mi, ke ne pro la grafikaĵo vi estas maltrankvila. Kio okazis? Kiam vi pentras, vi havas bonhumoron. Nun vi kondutas iom strange.
Adrian rigardis ŝin. Jes, ŝi konis lin, sed ĉu li konas ŝin?
Li tuj demandis:
-Kial ĝis nun vi ne diris al mi pri la romano "Severina"?
Ŝi ekridetis.
-Ja, ĝi estas romano kiel ĉiuj romanoj. Nur ĝia titolo estas "Severina".
-Tamen la verkisto priskribas vin tre detale.

아드리안이 카페에 들어갈 때 세베리나는 거기 있으며 그를 기다렸다.
“무슨 일이죠?” 그녀가 물었다.
“나는 그리다가 그래서 늦었어요.” 그는 거짓말했다.
“당신의 새 미술 작품을 언제 볼 수 있나요?”
“완성되었을 때요.”
“이미 오랜 시간 동안 그것을 그리네요. 무엇인가 방해하는 것이 있나요?” 그녀가 물었다.
“나는 미술 작품에서 늑대가 있기를 원했지만 그림 속에 가장 좋은 장소를 찾을 수 없네요.”
“왜 늑대를 그리고 싶나요?”
“그것은 상징이죠.”
“하지만 미술 작품 때문이 아니라 불안하게 보여요. 무슨 일이신가요? 그림 그릴 때 당신은 기분이 좋아요. 지금 뭔가 이상하게 행동해요.”
아드리안은 그녀를 바라보았다.
‘그래. 그녀는 나를 안다. 하지만 그는 그녀를 아는가?’ 그는 곧 질문했다.
“왜 지금까지 소설 세베리나에 관해 내게 이야기하지 않았죠?”
그녀는 살짝 웃었다.
“정말 그것은 모든 소설처럼 소설이예요. 오직 그 제목이 세베리나이고요.”
“하지만 작가는 당신을 아주 자세히 묘사했어요.”

-Jes. La verkisto estis malsana. Oni kuracis lin en la malsanulejo kaj kiam li resaniĝis, li diris al mi, ke li verkos romanon, kies titolo estos "Severina". Li demandis ĉe mi permesos al li uzi mian nomon. Mi permesis. Tio estas ĉio.
Adrian silentis.
-Mi vidas, ke vi ne kredas al mi.
En la grandaj avelaj okuloj de Severina aperis tristo kaj ofendo.
-Ĉu vi tralegis la romanon ĝis la fino? - demandis ŝi. Adrian ne respondis.
-Tralegu ĝin kaj ĉio estos klara.
Severina ekstaris kaj foriris. Adrian restis sidanta. Li alrigardis la kafotason kaj strabis la figurojn en la taso, postlasitajn de la turka kafo. Ŝajnis al li, ke li vidas sian grafikaĵon. Estis la arboj, la floroj, la birdoj, la luno kaj··· la lupo, kiu staris ĉe unu el la arboj.
Adrian revenis hejmen. Li tuj rigardis la grafikaĵon. Ĝi estis la sama, kiun li vidis en la kafotaso. Nun li devis pentri la lupon ĉe la arbo. La lupo, kiu eniris lian animon kaj rodis lin.
La sekvan matenon li telefonis al Severina, sed ŝi ne respondis. Plurfoje li telefonis. Ŝia telefono silentis. Sur la tablo ĉe li kuŝis la romano "Severina".

"예, 작가는 환자였어요. 병원에서 치료받고 건강해질 때 제목이 세베리나인 소설을 쓰겠다고 내게 말했지요. 그는 내게 내 이름을 써도 되는지 물었어요. 나는 허락했지요. 그것이 전부예요."
아드리안은 조용했다.
"당신이 내 말을 믿지 않는다고 나는 보네요." 세베리나의 개암 같은 커다란 눈동자에 슬픔과 상처가 나타났다.
"소설을 끝까지 다 읽었나요?" 그녀가 물었다.
아드리안은 대답하지 않았다.
"모든 것을 다 읽으면 모든 것이 분명해져요." 세베리나는 일어나서 떠났다.
아드리안은 앉은 채 머물렀다.
그는 커피잔을 쳐다보고 잔 속에서 커피의 남겨진 모양을 슬며시 보았다. 미술 작품을 보는 것처럼 느껴졌다. 나무, 꽃, 새, 달, 그리고 나무 한 그루 옆에 서 있는 늑대가 있다. 아드리안은 집으로 돌아왔다.
그는 곧 미술 작품을 쳐다보았다.
그것은 커피잔에서 본 것과 같다.
이제 그는 늑대를 나무 옆에 그려야 했다.
늑대는 그의 영혼에 들어와서 그를 깨물었다.
다음 날 아침 그는 세베리나에게 전화했지만, 그녀는 대답하지 않았다.
여러 번 그는 전화했다. 그녀의 전화는 조용했다.
그 옆 탁자 위에는 세베리나 소설이 놓여 있다.

30. LA GARDISTO DE LA LUMTURO

La insulo Sankta Marina estis malgranda. La ondoj konstante batis ĝin de ĉiuj flankoj kaj iom post iom rodis ĝin.
Post jaroj ĝi malaperos kaj neniu scius, ke iam ĉi tie estis insulo kaj maljuna gardisto de la lumturo.
De multaj jaroj Avram estis la sola loĝanto sur la insulo. Iam ĉi tie troviĝis malgranda monaĥejo, sed delonge ĝi estis ruinita kaj nun inter la herbaĉoj apenaŭ videblis iu ŝtono el la monaĥejo. Avram nenion sciis pri la monaĥejo, nek kiam oni konstruis ĝin, nek kiam ĝi estis detruita. En la lumturo, kie estas la ĉambreto de la gardisto, li trovis malnovan ikonon de Sankta Marina. La ikono forte impresis lin. Avram purigis ĝin kaj metis ĝin sur la tablon, ĉe kiu li manĝis. Tiel li povis ĉiam rigardi la ikonon kaj ŝajnis al li, ke ĝi radias lumon.
Longan vojon trapasis Avram ĝis la alveno al tiu ĉi insulo. Li estis konstruisto kaj laboris en diversaj urboj. Post dek jaroj da familia vivo, lia edzino forlasis lin. Eble ŝi ne eltenis, ke ili loĝis en diversaj urboj kaj vagis de urbo al urbo, kie Avram laboris.

등대지기

성 **마리나** 섬은 작다.
파도는 끊임없이 사방에서 때리고 조금씩 그것을 깨물었다.
여러 해가 지나 그것은 사라져 그 누구도 언젠가 여기에 섬이 있었고 늙은 등대지기가 살았다고 알지 못할 것이다.
오래전부터 **아브람**이 섬의 유일한 주민이었다.
언젠가 여기에 작은 성당이 있었지만 오래전에 그것은 낡아서 없어졌고, 지금은 잡초들 사이에 성당의 주춧돌만 겨우 남아 있다.
아브람은 성당에 관해 사람들이 언제 만들었는지 언제 부서졌는지 아무것도 몰랐다.
등대에 작은 방이 있는데 거기에 오래된 성 마리나 동상이 있었다.
그는 동상에 깊은 인상을 받았다.
아브람은 그것을 씻어 밥을 먹는 식탁 위에 두었다.
그렇게 해서 그는 항상 동상을 바라볼 수 있었다.
그것이 빛을 비춘다고 느꼈다.
아브람은 이 섬에 오기까지 긴 길을 지나왔다.
그는 건축업자로 여러 도시에서 일했다.
10년의 결혼생활을 뒤로하고 부인은 그를 떠났다.
아마 그녀는 그들이 여러 도시에 살고 이 도시 저 도시 아브람이 일하는 곳마다 돌아다니는 것을 참지 못한 듯했다.

La filo de Avram ekveturis eksterlanden, sed Avram ne sciis en kiu lando nun li estas.
Antaŭ kelkaj jaroj Avram venis en la maran urbon, proksiman al la insulo kaj li eksciis, ke la gardisto de la lumturo forpasis. Preskaŭ neniu deziris esti gardisto de la lumturo. Ne ĉiu pretas loĝi sola sur la insulo. La akvon kaj la nutraĵon oni alportas per boato. Avram akceptis esti gardisto de la lumturo. Li devis vespere lumigi la lumturon kaj matene estingi la lumon.
Avram ŝatis la solecon. Delonge jam li ne bezonis bruajn kompaniojn en fumigitaj drinkejoj. Nun por li sufiĉis aŭskulti la ritman plaŭdon de la ondoj kaj la kriegon de la laroj.
Matene li rigardis la sunleviĝon kaj antaŭvespere - la sunsubiron. De tempo al tempo, kiam la ondoj ne estis grandaj, per la malnova boato li fiŝkaptadis, tamen li ne tre malproksimiĝis de la insulo, ĉar li ne estis sperta fiŝkaptisto, nek bona naĝanto.
Hieraŭ posttagmeze komenciĝis terura ŝtormo, sed hodiaŭ la maro jam estis kvieta. La trankvila plaŭdo de la ondoj estis kiel agrabla melodio. Avram iom promenadis sur la insulo. La vento estis febla, la aero odoris je algoj kaj rompitaj konkoj.

아브람의 아들은 외국으로 나가서 지금 어느 나라에 사는지도 모른다.
몇 년 전에 섬 근처 해양도시로 왔는데 등대지기가 떠난 것을 알았다.
거의 누구도 등대지기 되기를 원하지 않았다.
섬에서 혼자 살려고 준비하는 사람이 아무도 없었다.
사람들이 물과 양식을 배로 가져다주었다.
아브람은 등대지기가 될 것을 수락했다.
그는 저녁에 등대를 밝히고 아침에 꺼야 했다.
아브람은 외로움을 즐겼다.
이미 오래전부터 담배 피우는 술집에서 시끄러운 동료들을 필요로 하지 않았다.
지금 그에게는 파도의 규칙적인 철썩임과 갈매기의 커다란 외치는 소리 듣는 것으로 충분했다.
아침에 해가 뜨는 것을 보고 저녁 전에 해지는 것을 본다. 때로 파도가 높지 않을 때는 낡은 배로 낚시를 했다. 그러나 섬에서 아주 멀리 떨어지지는 않았다.
노련한 낚시꾼이나 좋은 수영선수가 아니기에.
어제 오후에 심한 폭풍우가 시작되었지만, 오늘 바다는 벌써 평온하다.
파도의 안정적인 철썩임은 상쾌한 가락 같다.
아브람은 섬 위를 조금 산책했다.
바람은 약하고 공기에서는 해초와 깨진 조개 냄새가 났다.

Unue li iris al la rokoj, kie li staris rigardanta la maron.

Poste li pasis preter la loko, kie iam troviĝis la monaĥejo. Tie proksime estis alta centjara ulmo. Antaŭ tri jaroj Avram faris ĉe la ulmo lignan tablon kaj benkon. Dum la varmaj tagoj li ŝatis sidi sub la dikaj ulmaj branĉoj. De ĉi tie Avram daŭrigis sian promenadon al la bordo de la insulo, kie estis eta golfo. En tiu ĉi golfo li kutimis eniri la maron kaj iom naĝi. Nun li decidis naĝi kaj komencis malvestiĝi. Subite li ŝtoniĝis. Je kelkaj metroj antaŭ si Avram rimarkis homon, kuŝantan ĉe la ondoj. Eble estas droninto, kiun la ondoj ĵetis ĉi tien - meditis maltrankvile li. Avram proksimiĝis kaj vidis junulinon. Ŝi estis viva, sed apenaŭ spiris. Li atente levis ŝin kaj ekportis al la lumturo. Li eniris la etan ĉambron kaj kuŝigis ŝin sur la liton.

Iom da tempo Avram staris ĉe ŝi, cerbumante kion fari. La junulino estis ĉirkaŭ dekokjara, bela kun blanka vizaĝo kaj densa longa nigra hararo. Ŝiaj vestoj estis malsekaj, sed Avram ne kuraĝis malvesti ŝin.

La junulino malrapide malfermis okulojn, rigardis lin kaj demandis:

처음에 그는 바다를 바라보는 바위로 갔다.
나중에 그는 언젠가 성당이 있었던 바위 사이로 걸어갔다. 거기는 키가 큰 100년 된 느릅나무가 가까이에 있었다. 3년 전에 아브람은 느릅나무 옆에 나무 탁자와 긴 의자를 만들었다.
따뜻한 낮에는 아름드리 느릅나무 가지 아래 앉아 있기를 좋아했다.
여기서 아브람은 해만이 있는 섬의 경계까지 산책을 계속했다.
이 해만에서 보통 바다에 들어가 수영을 조금 하기도 한다.
지금 그는 수영하기로 마음먹고 옷을 벗기 시작했다.
그때 갑자기 그는 돌처럼 굳어졌다.
자기 앞 불과 몇 미터 앞에 파도에 누워 있는 사람을 보았기 때문이다.
아마도 물에 빠진 사람을 파도가 이쪽으로 밀어냈다고 생각하며 걱정했다.
아브람은 가까이 다가가서 물에 빠진 젊은 여자를 보았다. 그녀는 살아 있으나 겨우 숨을 쉬었다.
그는 조심해서 그녀를 꺼내 등대로 데려갔다.
작은 방으로 들어가 그녀를 침대에 눕혔다.
얼마 동안 그녀 옆에서 무엇을 할까 생각하며 서 있었다. 아가씨는 약 18살이고 예쁘고 하얀 얼굴에 머리카락은 길고 무성했다.
그녀의 옷은 젖었지만, 아브람은 감히 벗기지 않았다.
아가씨는 천천히 눈을 뜨고 그를 보면서 물었다.

-Kie mi estas?
-Sur insulo Sankta Marina - respondis Avram.
-Kaj Stefan··· kie li estas?
-Vi estis sola.
La junulino fermis okulojn, sed Avram diris al ŝi:
-Viaj vestoj estas malsekaj.
-Mi deziras akvon - flustris la junulino.
Avram tuj donis al ŝi glason da akvo kaj helpis ŝin trinki.
-Vi devas ŝanĝi vestojn - diris li. - Mi iros el la ĉambro. Ĉi tie estas mia malnova pantalono kaj ĉemizo.
La junulino time alrigardis lin.
-Ne timiĝu. Gravas, ke vi estas viva.
Li donis la vestojn al ŝi kaj eliris. Post kelkaj minutoj li ekfrapetis ĉe la pordo. La junulino diris:
-Bonvolu.
Li eniris. Ŝi surhavis lian pantalonon kaj ĉemizon.
-Kio okazis? - demandis Avram.
La junulino ne respondis. Ŝi rigardis la plafonon. Post minuto Avram denove ekparolis:
-Certe vi estas malsata. Mi fritos ovojn.
Li iris al la forno kaj komencis friti ovojn. La junulino rigardis lin. Avram metis sur la tablon la teleron da frititaj ovoj, panon kaj diris:

"여기가 어디예요?"
"성 마리나 섬입니다." 아브람이 대답했다.
"그리고 스테판, 그는 어디 있나요?"
"아가씨 혼자예요."
아가씨는 눈을 감자 아브람이 그녀에게 말했다.
"아가씨 옷이 젖었네요."
"물 좀 주세요."
아가씨가 작게 소리 냈다.
아브람은 곧 물 한 잔을 주고 마시도록 도왔다.
"옷을 갈아입어야 해요." 그가 말했다.
"내가 방에서 나갈게요.
여기에 내 낡은 바지와 셔츠가 있어요."
아가씨는 두려워하며 그를 바라보았다.
"무서워 말아요. 살아 있는 것이 중요해요."
그는 옷을 그녀에게 주고 나갔다.
얼마 뒤 그는 문을 두드렸다.
아가씨가 말했다. "들어오세요."
그는 들어왔다.
그녀는 그의 바지와 셔츠를 입었다.
"무슨 일이 있었죠?" 아브람이 물었다.
아가씨는 대답하지 않았다. 그녀는 천장을 쳐다보았다.
얼마 뒤 아브람이 다시 말을 꺼냈다.
"분명 배가 고프지요. 달걀부침을 할게요."
그는 난로로 가서 달걀부침을 요리했다.
아가씨는 그를 쳐다보았다.
아브람은 탁자 위에 접시와 달걀부침, 빵을 놓고 말했다.

-Bonvolu manĝi.
La junulino sidis ĉe la tablo kaj ekmanĝis. Videblis, ke ŝi estas ege malsata.
-Ĉu ĉi tie estas radioaparato? - demandis ŝi.
-Jes.
-Ĉu hieraŭ vi aŭskultis la novaĵojn?
-Ne.
Ŝi rigardis la ikonon sur la tablo.
-Kiu sanktulino estas?
-Sankta Marina.
-Do! Sankta Marina savis min. Estis terura ŝtormo··· La jakto renversiĝis kaj Stefan···
La junulino ekploris.
-Ni eknavigis per la jakto de Stefan. Estis agrabla suna tago, sed subite komenciĝis la ŝtormo···
Ŝi ploris.
-Ne ploru - diris Avram. - Eble ankaŭ Stefan saviĝis.
-De kiam vi estas ĉi tie? - demandis ŝi.
-Jam de multaj jaroj - respondis Avram. - Ĉi-nokte vi dormos ĉi tie. Morgaŭ de la urbo venos la boato, kiu portas al mi akvon kaj nutraĵon kaj vi iros.
Matene, kiam la suno leviĝis kaj lumigis la kvietan maron, Avram eniris la ĉambron kaj preparis matenmanĝon.

"먹어요."
아가씨는 탁자 옆에 앉아 먹기 시작했다.
아주 배가 고픈 것처럼 보였다.
"여기에 라디오가 있나요?" 그녀가 물었다.
"예"
"어제 뉴스를 들으셨나요?"
"아니요"
그녀는 탁자 위 동상을 바라보았다.
"어떤 성인인가요?"
"성 마리나예요."
"그래요. 성 마리나가 저를 구했어요.
심한 폭풍우에서 요트가 뒤집혀서 스테판이…."
아가씨가 울기 시작했다.
"우리는 스테판의 요트로 항해했어요. 상쾌하고 해가 비치는 날이었지만 갑자기 폭풍우가 시작했어요."
그녀는 울었다.
"울지 마세요." 아브람이 말했다.
"아마 스테판도 살아있겠지요."
"언제부터 여기 계셨나요?" 그녀가 물었다.
"벌써 오랜 세월이네요." 아브람이 대답했다.
"오늘 밤은 여기서 자요.
내일 도시에서 물과 양식을 가지고 배가 올 테니 갈 수 있어요."
아침에 해가 뜨고 조용한 바다를 비출 때 아브람은 방으로 들어가 아침을 준비했다.

Li kuiris teon kaj metis sur la tablon buteron, fromaĝon, mielon.
Nun la junulino estis pli trankvila. Ŝia vizaĝo ne estis pala kaj ŝiaj verdaj okuloj brilis. Malgraŭ ke ŝi surhavis lian malnovan pantalonon kaj lian ĉemizon, videblis, ke ŝia korpo estas forta.
Eble ŝi naĝis kaj tiel sukcesis savi sin.
-Baldaŭ estos deka horo kaj la boato venos. Vestu vin, ni iros al la kajo.
Avram eliris, por ke la junulino vestiĝu.
Li kaj ŝi staris sur la kajo. La boato proksimiĝis. Kiam la boato venis, la maristo, kiu direktis ĝin, diris ŝerce:
-Avram, ĉi-nokte vi havis gastinon, ĉu ne?
Avram silentis. La junulino ekiris al la boato. Post du paŝoj ŝi turnis sin kaj diris:
-Dankon, koran dankon.
-Kio estas via nomo? - demandis Avram.
-Marina - respondis ŝi.
-Marina - ripetis Avram.
La boato ekiris. Post ĝi restis blanka strio, kiu dum sekundoj malaperis. Avram staris sur la kajo kaj ŝajnis al li, ke subite ekestis profunda silento. Aŭdiĝis nek la plaŭdo de la ondo, nek la kriego de la laroj. Io komencis sufoki lin.

그는 차를 끓여 식탁 위에 버터, 치즈, 참외를 두었다.
지금 아가씨는 더 안정적으로 되었다.
그녀의 얼굴은 창백하지 않고, 그녀의 푸른 눈은 빛났다.
그녀가 그의 낡은 바지와 셔츠를 입고 있어도 그녀의 몸은 건강하게 보였다.
아마 그녀는 수영해서 그렇게 살아난 것 같았다.
"곧 10시가 되고 배가 올 거요.
옷을 갈아입어요. 같이 부두로 가요."
아가씨가 옷을 갈아입도록 아브람이 나갔다.
그들은 부두 위에 섰다.
배가 가까이 다가왔다.
배가 올 때 그것을 운전하는 선원이 농담으로 말했다.
"아브람, 어젯밤 여자 손님이 있었네요. 그렇지요?"
아브람은 조용했다.
아가씨는 배로 갔다.
두 걸음 뒤 그녀는 몸을 돌리며 말했다. "감사합니다. 정말 고맙습니다."
"이름이 무엇인가요?" 아브람이 물었다.
"마리나입니다." 그녀가 대답했다.
'마리나?' 아브람이 되풀이했다.
배가 떠났다.
그 뒤로 하얀 줄이 생기더니 몇 초 뒤 사라졌다.
아브람은 부두에 서서 깊은 침묵에 잠긴 듯했다.
파도의 철썩이는 소리도, 갈매기의 외치는 소리도 들리지 않는다.
무언가가 그를 숨 막히게 했다.

Li deziris malfermi[39] buŝon kaj krii: Marina, Marina, sed li ne
povis. Li ne demandis ŝin kie ŝi loĝas kaj kiu estas Stefan.
Unuan fojon Avram sentis la solecon kaj tiu ĉi sento estis terura. Li decidis forlasi la insulon.

39) ferm-i <他> 닫다;끝내다 fermplato 덮개, 뚜껑, 덮는 물건. brufermi, ĵetfermi, fermegi (문을) 꽝(탁) 닫다. fermkrako, fermbruo (문을) 쾅[탁] 닫는 소리. ĉirkaŭfermi<他> 포위하다. enfermi<타>감금하다, 가두다, 금족하다, 구류하다. malfermi<他> 열다. malferma ceremonio 개회(의)식, 개막식. solena malfermo 개업식, 낙성식, 개판식, 개교식, 개막식. malfermaĵo 구멍, 열린 구멍. fermitaj silaboj 폐구음절(閉口音節) (jam, kaj 등). malfermitaj silaboj 개구(開口) 음절(du, la 등).

그는 입을 벌려 소리치고 싶었다.
마리나! 마리나! 그러나 그는 할 수 없었다.
그는 그녀에게 어디 사느냐고, 스테판이 누구냐고 묻지 않았다.
처음으로 아브람은 외로움을 느끼고 이 느낌은 지독했다. 그는 섬을 떠나기로 했다.

PRI LA AŬTORO

Julian Modest (Georgi Mihalkov) naskiĝis la 21-an de majo 1952 en Sofio, Bulgario. En 1977 li finis bulgaran filologion en Sofia Universitato "Sankta Kliment Ohridski", kie en 1973 li komencis lerni Esperanton. Jam en la universitato li aperigis Esperantajn artikolojn kaj poemojn en revuo "Bulgara Esperantisto".

De 1977 ĝis 1985 li loĝis en Budapeŝto, kie li edziĝis al hungara esperantistino. Tie aperis liaj unuaj Esperantaj noveloj. En Budapeŝto Julian Modest aktive kontribuis al diversaj Esperanto-revuoj per noveloj, recenzoj kaj artikoloj.

De 1986 ĝis 1992 Julian Modest estis lektoro pri Esperanto en Sofia Universitato "Sankta Kliment Ohridski", kie li instruis la lingvon, originalan Esperanto-literaturon kaj
historion de Esperanto-movado. De 1985 ĝis 1988 li estis ĉefredaktoro de la eldonejo de Bulgara Esperantista Asocio. En 1992-1993 li estis prezidanto de Bulgara Esperanto-Asocio. Nuntempe li estas unu el la plej famaj bulgarlingvaj verkistoj.

Kaj li estas membro de Bulgara Verkista Asocio kaj Esperanta PEN-klubo.

저자에 대하여

율리안 모데스트는 1952년 5월 21일 불가리아의 소피아에서 태어났다. 1977년 소피아의 '성 클리멘트 오리드스키' 대학에서 불가리아어 문학을 공부했는데 1973년 에스페란토를 배우기 시작했다. 이미 대학에서 잡지 '불가리아 에스페란토사용자'에 에스페란토 기사와 시를 게재했다.
1977년부터 1985년까지 부다페스트에서 살면서 헝가리 에스페란토사용자와 결혼했다. 첫 번째 에스페란토 단편 소설을 그곳에서 출간했다. 부다페스트에서 단편 소설, 리뷰 및 기사를 통해 다양한 에스페란토 잡지에 적극적으로 기고했다. 그곳에서 그는 헝가리 젊은 작가 협회의 회원이었다.
1986년부터 1992년까지 소피아의 '성 클리멘트 오리드스키' 대학에서 에스페란토 강사로 재직하면서 언어, 원작 에스페란토 문학 및 에스페란토 운동의 역사를 가르쳤고. 1985년부터 1988년까지 불가리아 에스페란토 협회 출판사의 편집장을 역임했다.
1992년부터 1993년까지 불가리아 에스페란토 협회 회장을 지냈다.
현재 불가리아에서 가장 유명한 작가 중 한 명이다.
불가리아 작가 협회의 회원이며 에스페란토 PEN 클럽 회원이다.

Julian Modest estas aŭtoro de jenaj Esperantaj verkoj:

1. "Ni vivos!" -dokumenta dramo pri Lidia Zamenhof.
Eld.: Hungara Esperanto-Asocio, Budapeŝto,1983.
2. "La Ora Pozidono" -romano. Eld.: Hungara Esperanto-Asocio, Budapeŝto, 1984.
3. "Maja pluvo" -romano. Eld.: "Fonto", Chapeco, Brazilo, 1984.
4. "D-ro Braun vivas en ni". Enhavas la dramon "D-ro Braun vivas en ni" kaj la komedion "La kripto". Eld.: Hungara Esperanto-Asocio, Budapeŝto, 1987.
5. "Mistera lumo" -novelaro. Eld.: Hungara Esperanto-Asocio, Budapeŝto, 1987.
6. "Beletraj eseoj" -esearo. Eld.: Bulgara Esperantista Asocio, Sofio, 1987.
7. "Ni vivos! -dokumenta dramo pri Lidia Zamenhof -grandformata gramofondisko. Eld.: "Balkanton", Sofio, 1987
8. "Sonĝ vagi" -novelaro. Eld.: Bulgara Esperanto-Asocio, Sofio, 1992.
9. "Invento de l' jarcento" -enhavas la komediojn "Invento de l' jarecnto" kaj "Eŭopa firmao" kaj la dramojn "Pluvvespero", "Enŝeliĝ en la koron" kaj

“Stela melodio”. Eld.: Bulgara Esperanto-Asocio, Sofio, 1993.

10. ”Literaturaj konfesoj” -esearo pri originala kaj tradukita Esperanto-literaturo. Eld.: Esperanto-societo “Radio”, Pazarĝik, 2000.

11. ”La fermita konko” -novelaro. Eld.: Al-fab-et-o, Skovde, Svedio, 2001.

12.”Bela sonĝ” -novelaro, dulingva Esperanta kaj korea. Eld.: “Deoksu” Seulo, Suda Koreujo, 2007.

13. “Mara Stelo” -novelaro. Eld.: “Impeto” - Moskvo, 2013

14. “La viro el la pasinteco” -novelaro, esperantlingva. Eldonejo DEC, Kroatio, 2016, dua eldono 2018.

15. "Dancanta kun ŝarkoj" - originala novelaro, eld.: Dokumenta Esperanto-Centro, Kroatio, redaktoro: Josip Pleadin, 2018

16."La Enigma trezoro" - originala romano por adoleskuloj, eld.: Dokumenta Esperanto-Centro, Kroatio, redaktoro: Josip Pleadin, 2018

17."Averto pri murdo" - originala krimromano, eld.: Eldonejo "Espero", Peter Balaz, Slovakio, 2018

18."Murdo en la parko" - originala krimromano, eld.: Eldonejo "Libera", Lode Van de Velde, Belgio, 2018

19.”Serenaj matenoj” - originala krimromano,

eld.: Eldonejo "Libera", Lode Van de Velde, Belgio, 2018
20."Amo kaj malamo" - originala krimromano, eld.: Eldonejo "Libera", Lode Van de Velde, Belgio, 2019
21."Ĉsisto de sonĝj" - originala novelaro, eld.: Eldonejo "Libera", Lode Van de Velde, Belgio, 2019
22."Ne forgesu mian voĉn" -du noveloj, eld.: Eldonejo "Libera", Lode Van de Velde, Belgio, 2020
23. "Tra la padoj de la vivo" -originala romano, eld.: Eldonejo "Libera", Lode Van de Velde, Belgio, 2020
24."La aventuroj de Jombor kaj Miki" -infanlibro, originale verkita en Esperanto, eld.: Dokumenta Esperanto-Centro, Kroatio, redaktoro: Josip Pleadin, 2020
25. "Sekreta taglibro" - originala romano, eld.: Eldonejo "Libera", Lode Van de Velde, Belgio, 2020
26. "Atenco" - originala romano, eld.: Eldonejo "Libera", Lode Van de Velde, Belgio, 2021

율리안 모데스트의 저작들

-우리는 살 것이다!-리디아 자멘호프에 대한 기록드라마

-황금의 포세이돈 - 소설
-5월 비 - 소설
-브라운 박사는 우리 안에 산다 - 드라마
-신비한 빛 - 단편 소설
-문학 수필 - 수필
-바다별 - 단편 소설
-꿈에서 방황 - 짧은 이야기
-세기의 발명 - 코미디
-문학 고백 - 수필
-닫힌 조개 - 단편 소설
-아름다운 꿈 - 짧은 이야기
-과거로부터 온 남자 - 짧은 이야기
-상어와 함께 춤을 - 단편 소설
-수수께끼의 보물 - 청소년을 위한 소설
-살인 경고 - 추리 소설
-공원에서의 살인 - 추리 소설
-고요한 아침 - 추리 소설
-사랑과 증오 - 추리 소설
-꿈의 사냥꾼 - 단편 소설
-내 목소리를 잊지 마세요 - 소설 2편
-인생의 오솔길을 지나 - 여성 소설
- 욤보르와 미키의 모험 - 어린이책
- 비밀 일기 - 소설
- 모해 - 소설